Duizend eilanden ver

Tais Teng

Duizend eilanden ver

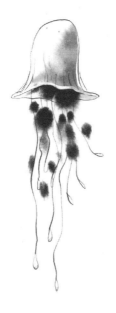

de Fontein

NEDERLANDSE
KINDERJURY
2004

© 2003 Tais Teng
Voor deze uitgave:
© 2003 Uitgeverij De Fontein, Baarn
Omslagafbeelding en illustraties: Mark Janssen
Omslagontwerp: Rob Galema
Zetwerk: ZetSpiegel, Best

ISBN 90 261 1933 X
NUR 283

SPIJBELENDE SCHOLIEREN BESTAAN NIET

Van onze verslaggever

UTRECHT 'Het begon met een telefoontje van de Joris Habermanschool,' vertelt Richard G. aan onze reporter. 'Of mijn zoontje Neil soms een griepje had? Hij was namelijk al voor de tweede dag niet op komen dagen.'

Afgelopen woensdag werd G. verrast door dit vreemde bericht. 'Ik ben vrijgezel en heb zover ik weet geen kinderen,' verklaart hij. Hoewel de school zijn excuses maakte en constateerde dat het om een computerfout ging, bleef het niet bij dit ene voorval. Dezelfde dag nog werd G. gebeld door het Westerdijklyceum, met de mededeling dat zijn dochter al twee keer gespijbeld had. Gistermiddag berichtte de bibliotheek dat zijn zoontje de geleende video's nog niet terug had gebracht.

Richard G. vermoedt dat deze 'spookkinderen' het werk van een computerkraker zijn. 'Dit is geen geintje meer,' zo stelt hij. 'Als dit zo doorgaat, overweeg ik de politie in te lichten!'

Skylge
Aamland
Skiermuntseach
Noord-Flieland
Zuid- Flieland
Frieslan
Ljouwerhaven
Texel
Hooghelder
Tomkes Eilan
Midland
Alkmaardereiland
Urk
Schokland
Haarlemmerzand
Marken
's Gravenhaven
Gooierswold
Droog Delft
Amsvorde
Trichterhaven
West-Voorne
Oost-Voorne
Goede Rede
Putters Smart
Wallagren
Schouwland
Scheldereiland

DE DUIZEND EILANDEN

Duizend eilanden ver,
waar de schepen van goud zijn

'Hè nee, niet weer!' Op het computerscherm slaat Neils racewagen drie keer over de kop, ramt een lantaarnpaal en plonst ondersteboven in het zwembad van de miljonair. GAME OVER, melden knipperende letters.

Ja dat kun je wel zeggen, denkt Neil. Jullie je zin: dan word ik later toch gewoon geen autodief?

In de gang kleppert de brievenbus: enveloppen ploffen op het deurmatje. Vrijwel meteen gaat de bel. De ongeduldige, extra lange rinkel van iemand die vandaag nog meer te bezorgen heeft.

'De postbode, mamma!' roept hij. 'Met een pakketje denk ik.'

'Neem jij het even aan?' Stella's stem komt uit de bijkeuken. 'Ik sta met een gloeiende soldeerbout in mijn hand en twee ellendige rotdraadjes die niet aan elkaar vast willen.'

'Oké.' Neils moeder is beslist de handigste in huis. Helaas haat ze klusjes. Knellende deuren worden kaarsrecht afgehangen, rokende mixers open geschroefd, maar altijd onder binnensmonds gemopper en wanhopig gesis.

'Past niet door de brievenbus, jongeman.' De postbode houdt een pakketje op. INTERNET DIGIPRINT, meldt de knaloranje sticker. WEL ZO SNEL EN VEEL GOEDKOPER.

'Jullie foto's vermoed ik. Kun je even een krabbel op dit formulier zetten?'

Op de keukentafel scheurt Neil de dikke envelop open en schudt twee stapeltjes foto's uit het bobbeltjesplastic.

Handig, zo'n digitale camera. Je schiet rustig vijftig foto's zonder een filmpje te hoeven wisselen. Wat je niet bevalt, wis je meteen weer uit.

Ha, daar is onze tent en Dagmar halverwege de trap van de oude uitkijktoren. De uitkijktoren waaruit weinig te kijken viel, omdat de bomen intussen boven de toren uit groeiden.

Ja hoor, in het pannenkoekenrestaurant moet Dagmar weer zo nodig een raar gezicht trekken.

Zusjes! Ik verzamel al haar uitgestoken tongen nog eens en zet ze op de site van Dagmars school.

'Het is van het kamperen, Stella,' zegt hij over zijn schouder. 'Zo te zien zijn al je foto's scherp.'

'Dat was vlot,' antwoordt zijn moeder. 'Ik heb ze gisteren pas gemaild. Hou ze op volgorde wil je? Ik kom zo kijken.'

Het tweede stapeltje foto's legt elke bocht en steiger van hun boottochtje door Amersfoort vast. Een beetje een tegenvaller herinnert Neil zich: Amersfoort had beslist minder grachten dan Utrecht en ze waren ook saaier. Nergens spannende werfkelders met totempalen of geinige terrasjes vol vioolspelende Russen.

De laatste foto toont een immense watervlakte onder een hemel vol schaapjeswolken. Een steiger zigzagt als een hoekige slang tussen honderden zeilbootjes. Hun koperen rompen glanzen in de zon en elke mast draagt zijn eigen windhaan of vliegende draak.

Hij kan de namen van de voorste schepen nog net ontcijferen: Martha's Verdriet en Gerbensterp 23.

Neil buigt zich over de foto en wenst dat hij een vergroot-glas had. Foto's zijn altijd zoveel kleiner dan de werkelijk-heid.

Waar was dit in hemelsnaam? Wanneer?

Ik kan me niets van een meer herinneren.

Langs de horizon ontdekt hij de blauwgrijze silhouetten van eilandjes. De kerktoren op het middelste eiland heeft geen spits, maar loopt in een soort stenen distelbol uit.

De boogbruggen tussen de eilanden zijn zo mogelijk nog vreemder en absoluut niet Nederlands. Min of meer het model van een stenen bruggetje in een Japanse tuin, maar dan onzinnig uitvergroot. Ze zwieren zo hoog de lucht in dat zelfs een olietanker moeiteloos onder de bruggen door kan varen.

Was ik soms in slaap gevallen? Weggedoezeld omdat het zo zoemerig warm was en zeventiende-eeuwse kloosters me niet bijster interesseerden?

Hij probeert zich de kaart van Nederland voor de geest te halen. Al dat water: Amersfoort ligt toch in het binnen-land, niet aan de randmeren? De randmeren zijn trouwens zo nauw dat je de overkant steeds blijft zien. Dit meer is wijd genoeg voor een zee.

Toch móét Stella de foto in Amersfoort genomen hebben. Pappa en Dagmar zitten op het voorste bankje van de rondvaartboot, hoewel ze vrij onscherp blijven. Bovendien draagt Dagmar het blauwe T-shirt met WATERLIJN. Dat shirt had ze in het winkeltje bij de aanlegplaats gekocht en sindsdien nooit meer aangetrokken.

'Wat heb je daar?'

Hij heeft zijn moeder niet binnen horen komen.

Hij reikt haar de foto aan. 'Weet jij soms waar dit was? Ik kan me niks van een haven herinneren.'

Zijn moeder verstijft. 'Waar heb je die foto vandaan? Toch niet uit mijn spullen?'

Haar spullen? Wat denkt ze wel?

'Het zat bij de andere foto's!'

'Stelletje stommelingen,' zegt ze. 'Dat krijg je ervan als je computers je foto's laat afdrukken.'

'Wat bedoel je?'

'Dit. Dit ding hier!' Ze wappert met de foto. 'Ze hebben natuurlijk twee filmpjes verwisseld. Deze foto is van iemand anders.'

Ze beent naar de afvalbak en scheurt de foto in tweeën. 'Zo doen we dat met knoeiwerk!' Stella blijft fanatiek doorscheuren tot de snippers niet groter dan confetti zijn en tussen haar vingers in de bak dwarrelen. 'Mooi de laatste keer dat ik die lui mijn foto's laat afdrukken!'

Dit slaat werkelijk nergens op, denkt Neil. Zo nijdig over één verwisselde foto?

En dan dringt de klank van haar stem pas tot hem door. Niet boos, maar angstig. Doodsbang.

Stella herkende die zee. Ze weet waar hij ligt.

Bovendien zei ze: 'Je hebt het toch niet uit mijn spullen?'

Hij durft haar niet aan te kijken.

De klep van de afvalbak slaat dicht.

'Ik ga naar de Super. Boodschappen doen, ja. Ik zie straks de rest van de foto's wel. Of waren er meer... eh, verkeerde foto's?'

'Nee, dit was de enige.'

Stella aarzelt, tuurt in de bak en slaakt een diepe zucht. 'Weer bomvol. Hoe vaak moet ik jullie...' Ze maakt haar zin niet af en tilt de bak op. 'Laat maar. Ik mik hem zelf wel leeg in de kliko.'

Ze speelt toneel, denkt Neil. Geen kleuter zou in zo'n overdreven zucht trappen. En gezeur over overvolle afvalbak-ken is al helemaal niets voor Stella.

Je stopt borden pas in de vaatwasmachine als je geen enkel schoon bord overhebt, is haar stellige mening. Waarschijn-lijk weet ze niet eens waar de stofzuiger staat.

Neil snelt naar het keukenraam en gluurt door de luxaflex de achtertuin in. De afvalbak staat open naast de kliko en Stella graait in de inhoud rond.

Heeft ze er iets in laten vallen? Een oorbel?

De snippers, realiseert Neil zich. Ze wil voorkomen dat ik ooit nog naar die foto kijk. Dat ik de snippers aan elkaar pas.

Zijn moeder beent terug naar het afdakje, rukt haar fiets uit de klemmen. De tuindeur knalt zo hard achter haar dicht dat Neil de klap door het dubbele glas kan horen.

Ze gaat helemaal niet naar de supermarkt, wedden? Ze dumpt de snippers onderweg. In de gracht, een container.

Neil sluit zijn ogen en probeert zich de wonderbaarlijke haven voor de geest te halen. Bruggen zo hoog als achtba-nen. Schepen met rompen van geel glanzend koper.

Hoewel, koper? Koper roest toch razendsnel?

Zijn vader vertelde hem dat toen hij vroeg waarom in Am-sterdam zoveel torens groen waren.

'De huizen werden voor schatrijke kooplieden gebouwd, weet je, van die echte opscheppers,' had Richard uitgelegd. 'De trotse bezitter begon met een dak zo geel als goud. Een halfjaar later was het kikkergroen geroest en lachten alle buren hem uit.'

'Kon hij daar helemaal niks aan doen? Aan dat roesten?'

Een huis met gouden torens leek Neil aardig cool.

'Ja hoor, dakpannen van echt goud gebruiken.'

De boten op de foto roestten niet, hoewel ze in zeewater dobberden dat koper opvrat als een school piranha's een geplukte kalkoen. Als de rompen geel glanzen en niet roesten, moeten ze dus van puur goud zijn.

Schepen van goud...

Een herinnering komt op, zo goed als weggezakt.

Hoe oud was ik? Vier, vijf? Zoiets ja, op mijn zesde vertelde Stella mij beslist geen sprookjes meer voor ze me instopte.

'Duizend eilanden ver, waar alle schepen van goud zijn,' zo begon Stella elk sprookje.

Behalve dat die sprookjes blijkbaar geen sprookjes waren.

De verscheurde foto bewijst het.

Wacht eens, wacht eens: het ging om een digitale foto! De afdruk mag versnipperd zijn en intussen aan de eenden gevoerd: de foto zelf moet nog veilig in het geheugen van Stella's camera zitten.

De deur van Stella's werkkamer staat op een kier. Neil kijkt onwillekeurig over zijn schouder en spitst zijn oren: het huis blijft doodstil.

Het is plotseling een afwachtende stilte, dreigend.

Normaal zou hij geen moment aarzelen als hij de nietmachine of een velletje schrijfpapier uit haar kamer nodig had. Stella's leugens hebben alles veranderd.

Ze heeft geheimen. Ik kan haar nooit meer vertrouwen.

Als hij naar de koperen deurknop reikt, valt hem voor het eerst op hoe helder het metaal glanst. Het fonkelt alsof het zorgvuldig opgewreven is. Vreemd, Stella zou liever een rauwe meikever doorslikken dan haar deurknop poetsen.

Is Stella's deurknop ook van goud? Net als de schepen?

Onzin: als pappa en mamma zich gouden deurknoppen

konden veroorloven, reden we in een Mercedes rond, niet in een zes jaar oude Panda.

Na een korte aarzeling duwt hij de deur open met de punt van zijn schoen. De knop aanraken voelt op de een of andere manier verkeerd.

Geen vingerafdrukken achterlaten. Getver, ik denk al als een inbreker.

De vertrouwde geur van gelakt zeewier en gedroogde zee-egels walmt hem tegemoet. Boven Stella's leren bank hangt het olieverfschilderij van een strand met dofzwart vulkaangruis. Rotspieken priemen uit de loodgrijze stormzee. Zelf geschilderd: Neils moeder is de creatieveling van de familie.

Op de vensterbank prijkt een vloot van modelbootjes, die Stella uit gedroogd wier gevouwen heeft.

Heel de kamer staat in het teken van de zee: Neil weet dat zijn moeder pas gelukkig is als ze met haar billen in het zand schurkt en over een deinende horizon vol eilanden uitkijkt.

'Misschien ben ik eigenlijk een aangespoelde zeemeermin,' had zijn moeder een keer gegrapt, 'en hoor ik in een badkuip met zeewater te slapen.'

Stella's digitale camera staat in het zicht, op een plank van grijs drijfhout. Neil schakelt hem in en roept de laatste foto op.

Het uitklapschermpje van de camera toont Dagmar en Neils vader, de rondvaartboot. Op de achtergrond is een rij middeleeuwse huizen zichtbaar. Van gouden schepen of eilanden geen spoor.

De vrouw van de veerman

Hallo?' roept Dagmar beneden aan de trap. 'Hallo? Is er iemand thuis of hoe zit dat?'

Haar middelbare school ligt in een buitenwijk: ze komt gewoonlijk een halfuur later thuis dan Neil.

'Ik ben boven.'

Neil trekt de deur achter zich dicht, rent halverwege de gang terug en zet hem zorgvuldig op een kier.

Nu ben ik even erg als Stella, gaat het door hem heen. Spioneren in haar kamer, al mijn sporen uitwissen.

'Is mamma niet thuis?' vraagt Dagmar.

'Boodschappen doen geloof ik.' Hij likt over zijn lippen. 'Zeg, waar Stella vandaan vluchtte, toen ze asielzoekster was? Welk land was dat ook alweer?' Hij probeert het zo achteloos mogelijk te brengen.

Dagmar haalt een hand met aan elke vinger drie ringen door haar krullen. 'Ze wil er nooit echt over praten. Een van die rare Russische landen. Ergens tegen China aan. Kazachstan, Kirgizstan? De laatste keer dat ik het vroeg, wapperde ze vaag naar de aardbol en begon ze over mijn verkeerde vriendjes.' Ze mikt haar windjack over de berg jassen aan de kapstok. 'Hoezo?'

Zeg het!

'Mamma verscheurde een foto.' Neil dwingt zichzelf door te spreken. 'Een onmogelijke foto.'

'Van haar land?' vraagt Dagmar en hij voelt een grote last van zich afvallen.

Dagmar zal naar me luisteren, mij geloven. Ik ben Stella niet, ik hóéf het niet geheim te houden.

Dagmar tuurt op het schermpje van Stella's toestel en schudt haar hoofd. 'Dit ziet er volkomen normaal uit. Ik kan me niets van een haven herinneren.'

'Het is waar! Heus!'

'O, ik geloof je best.' Ze wrijft over haar kin. 'Al die rare sprookjes van Stella. De molenaarszoon die met een zeekoe trouwde. De pastoor en de negen makrelen. Altijd de zee en eilanden. Ik heb het een keer in de atlas nagezocht: in Kazachstan is geen druppel zout water te vinden en zijn er al helemaal geen eilanden.'

'Ze lieten haar zonder veel problemen het land in toen ze hierheen vluchtte,' zegt Neil. 'Blij dat ze tenminste Nederlands sprak.'

'Stella-Nederlands dan,' zegt Neil en glimlacht. 'Dat is Stella-Nederlands!' joelt iedereen als zijn moeder weer eens een uitdrukking gebruikt, die wel Nederlands klinkt maar het beslist niet is. 'Een potje rabauwen' voor knokken bijvoorbeeld. Of 'Daar kunnen ziltkikkers geen bellen van blazen' als Neil en Dagmar een karweitje maar half afgemaakt hebben. Je snapt het best, ook al is het kletskoek.

'Haar overgrootouders emigreerden naar Kazachstan,' zegt Neil. 'Uit Nederland. Daarom klinkt Stella's Nederlands soms zo ouderwets.'

Hoewel, heeft ze hem dat ooit werkelijk verteld of heeft hij dat zelf bedacht?

Waarom moest hij het eigenlijk met maar één opa en oma doen? had hij op zijn zesde verjaardag willen weten. Stella had toch ook een vader en moeder, net als pappa? Meer grootouders zouden ook meer cadeautjes betekenen had hij heel slim bedacht.

'Kunnen we niet eens naar jouw land op vakantie gaan? Om jouw familie op te zoeken?'

'Ik heb geen familie meer,' had Stella kortaf geantwoord.

Ze heeft vreselijke ruzie met ze gemaakt en is weggelopen, had Neil ten slotte geconcludeerd. De vader van zijn beste vriend Ernst had ook ruzie gemaakt en was in een andere stad gaan wonen. Hij wilde ook niet meer met Ernsts moeder praten.

'Stella vertelt nooit over haar familie,' zegt Neil. 'We weten niet eens of ze broers of zussen heeft.'

'Ik denk dat ze allemaal dood zijn,' zegt Dagmar.

'Hoe bedoel je?'

'Vermoord. Mamma was een vluchteling, weet je misschien nog? In dat soort landen is het niet bepaald leuk als je de verkeerde taal spreekt of er anders uit ziet.' Ze knikt. 'De politie laat je alleen Nederland in als het heel serieus is.'

'Shit.' Het zou zoveel verklaren. Natuurlijk wil Stella geen grappige verhalen over vroeger vertellen, over school of toen ze een klein meisje was. Moeders barsten niet graag in huilen uit voor de ogen van hun kinderen.

'Maar Stella's foto? Waarom is hij anders dan de afdruk?'

Dagmar vouwt haar armen over elkaar en wendt haar hoofd af. 'Magie,' zegt ze, zo zacht dat Neil haar amper kan verstaan. 'Ik denk dat mamma een heks is. Misschien, misschien moest ze daarom ook vluchten?'

'Heks? Je bent gek, knettergek!' Niemand noemt zijn moeder een heks! Zelfs zijn zus niet.

'Geen slechte heks. Niet een die kinderen opeet.'

'Je denkt zeker dat ik stom ben? Een heks...'

'Luister naar me!'

Neil deinst terug voor de woede in Dagmars stem.

Ze moet me iets vertellen en is doodsbang dat ik haar niet geloof.

Dagmar ploft op de bank neer en mept met haar vlakke hand op het glimmende leer. 'Kom naast me zitten. Waag het niet te lachen!'

'Waarom denk je dat Stella een heks is?' Nu hij het woord zelf gebruikt, klinkt het onzinniger dan ooit.

'Je heb haar toch papier zien vouwen? Van die origamibeesten?'

Neil knikt. Natuurlijk. Geen papiertje is veilig voor Stella: drie, vier vouwen, een ruk en de reclamefolder van de Schoenenreus is een springende zalm geworden. De rekening van het restaurant een zeemeeuw.

Eén keer heeft hij haar zelfs een olifant zien vouwen van een vijftig-eurobiljet terwijl ze bij de kassa stond te wachten. Stella was al aan de slagtanden toe voor ze het doorkreeg en het biljet haastig gladstreek.

'Stella stond te telefoneren,' zegt Dagmar. 'Je weet hoe het gaat. Ze scheurde gedachteloos een pagina uit het telefoonboek en vouwde er automatisch een haai van, daarna door tot een kraanvogel, een brullende draak. Ze bleef vouwen en vouwen terwijl ze met Evelien kletste en bij elke keer werd het dier ingewikkelder en kleiner. Ten slotte was het papier amper zo groot als haar duimnagel. Ik denk dat het een spin moest voorstellen. Stella rolde het beestje tussen haar duim en wijsvinger en het verdween.' Dagmar kijkt hem aan. 'Weg. Echt totaal weg. Een hele bladzijde.'

Het is geen raar verhaaltje, geen leugen. Dagmars stem klonk te wanhopig. Een geheim. Weer een geheim en Dagmar durfde het aan niemand te vertellen.

'Ik zat toen nog een klas lager dan jij en het leek me eerst een mooie truc,' zegt Dagmar. 'Gewoon iets grappigs. Ik scheurde een velletje uit het telefoonboek. Als mamma het mocht, mocht ik het ook. Tot de draak ging het nog redelijk. Hoewel mijn draak een stuk groter was dan die van Stella. Daarna was het papier domweg te dik om te vouwen. Zodra het kleiner werd dan een lucifersdoosje kon ik het papier zelfs met de waterpomptang niet meer dubbelvouwen. Wat Stella deed, is onmogelijk. Je kunt niets zo klein opvouwen dat het verdwijnt.'

'Ik...' Nee, dat was een droom, een nachtmerrie. Het heeft geen zin om Dagmar mijn nachtmerries te vertellen. Ook al gaan ze over Stella's vouwen. Ze zou denken dat ik tegen haar op wil bieden, zelf een nog beter verhaal wil vertellen.

'Kun je het haar niet gewoon vragen?' zegt Neil. 'Je zegt dat je haar het papier weg zag vouwen en wil weten hoe ze dat deed.'

Dagmar schudt haar hoofd zo heftig dat haar krullen dansen. 'Nee! Dat is hetzelfde als vragen of ze een heks is.' Ze leunt naar voren. 'Heeft Stella je ooit het sprookje over de Vrouw van de Veerman verteld?'

'Vaak. Bijna elke week.'

Hoe heeft hij het kunnen vergeten? Elk woord komt terug. Haar lichtelijk hese stem, de geur van Stella's haar.

'Duizend eilanden ver,' zo begon ze natuurlijk, 'waar alle schepen van goud zijn, leefde een veerman die een bruid zocht.'

Ja, en toen de vrouw met de veerman trouwde, waarschuwde ze hem dat hij nooit haar ware naam mocht uitspreken.

'Da's makkelijk zat,' zei de veerman, 'voor mij is "lieve schat" of "heerlijke honnepon" naam genoeg.' Toch werd de veerman elk jaar nieuwsgieriger. Het was toch waanzin dat hij de naam van de moeder van zijn twee kinderen niet eens wist?

Hij vroeg het de zeemeeuwen, hij vroeg het de kapiteins van de glazen zandschepen die alle roddels van de dolfijnen horen en de bliksems in de orkaanhemel kunnen lezen. Ten slotte verkocht een waarzegster hem een roze kinkhoorn.

'Hierin fluistert de zee de antwoorden op alle verboden vragen.'

De veerman drukte de schelp tegen zijn oor en leerde dat zijn vrouw Asmonya heette en de oudste dochter van de zeekoning was.

Het deed hem groot plezier en hij hield nog meer van zijn vrouw dan ooit. 'Asmonya,' fluisterde hij glimlachend als hij naar het slapende gezicht van zijn vrouw keek. 'Asmonya, mijn zeeprinses.'

Een jaar later stond hij naast zijn vrouw aan de reling van zijn veerboot. De plotselinge windvlaag smeet de boot bijna omver en de giek, de solide balk onder aan het zeil, zwiepte in de richting van zijn vrouw.

'Asmonya!' brulde hij, 'Kijk uit!'

En de balk miste haar hoofd. Omdat ze in een dolfijn was veranderd, die over de reling gleed en in de grijze golven wegdook...

Voor het eerst begrijpt hij het verhaal. Een waarschuwing. Vraag nooit te ver door. Laat raadsels raadsels blijven.

'Asmonya had twee kinderen,' zegt Neil, 'net als Stella, en

toch zwom ze weg. Ze had geen keus toen de veerman haar naam uitsprak.'

'Daarom vertelde Stella het, denk ik,' zegt Dagmar. 'Als we ooit te weten komen wie ze is, verlaat ze ons.'

'Niet verlaten. Ik zou jullie nooit vrijwillig verlaten.' Stella staat in de deuropening. Haar gezicht ziet grauw van ellende en een mondhoek trilt. 'Maar als mijn oude familie me ooit vindt, zullen ze mij uit jullie wereld wegsleuren.'

'We wilden niet...' Neil schudt zijn hoofd. Elk excuus is slap, ontoereikend.

'Je zag mijn land, Neil,' zegt Stella. 'Je zag de Duizend Eilanden. Wat betekent dat mijn achtervolgers een moment gruwelijk dichtbij waren. Dat ze die dag in Amersfoort niet verder dan de snede van een scheermes, dan een hartenklop van mij af waren.'

'We mogen niet vragen wie je bent?' zegt Dagmar.

'Nooit. Erover praten kan al te veel zijn, hen op mijn spoor brengen. Ze hebben hulp. Niet alle oren die je kunnen horen, zijn menselijk.'

'Maar je bent...' Neil raapt al zijn moed bij elkaar. Het is zo'n onzinnige vraag. Beledigend ook. 'Je bent in ieder geval zélf een mens?' Geen betoverde dolfijn, geen magische zeeprinses, bedoelt hij eigenlijk.

Stella glimlacht. 'O ja hoor, een mens, een doodgewone vrouw. Ik vluchtte omdat ik dat dolgraag wilde blijven.'

De drog en de jagers

Vraag niets. Vertrouw op mij. Als je doorvraagt, breng je me in gevaar. Als je doorvraagt, zul je mij verliezen.

De kerkklok slaat elf en Neil hoort elke slag als een golf over de daken wegrollen. Uit het zolderraam kan hij een drietal sterren zien, de knipperende lichtjes van een jumbojet.

Stella heeft makkelijk praten.

Hij draait zich op zijn linkerzijde, trekt zijn benen op. De dekens raspen langs zijn kin, even heet en kriebelig als staalwol.

Ik kan de eilanden niet op bevel vergeten, de gouden schepen.

De ene na de andere herinnering welt op, gebeurtenissen die hij weggedrukt heeft. Die hij moedwillig vergeten is. Omdat ze te vreemd waren, niet klopten. Ieder kind wil dat zijn moeder normaal is. Net als andere moeders, maar dan natuurlijk een beetje flitsender.

Er was de zondagmiddag dat hij en Dagmar met Stella in het Wilhelminapark wandelden en hij plotseling het dreunen van de branding opving. Het gekrijs van meeuwen drukte de zangvogels weg. De smaak van zilt stuifwater op zijn lippen.

'Mee!' beval Stella. 'Nu!' Ze had hen struikelend en protesterend aan hun armen het theehuis in gesleurd, de dameswc in. Ze draaide de deur op slot en klikte het licht uit. 'Geen woord!' snauwde ze.

Doodsbang hadden ze in het donker gewacht tot Stella ten slotte de deur opendraaide.

'En waar hebben jullie zin in?' had Stella met een veel te opgewekte stem gevraagd. 'Een ijsje met twee bolletjes en extra slagroom?'

'Drie bolletjes!' had Neil prompt geroepen. Wonder boven wonder had hij die nog gekregen ook.

Toen hij een halfuur later het zonovergoten park in stapte, was het gebruis van omslaande golven verdwenen. De geur van teer en zeewier had plaatsgemaakt voor jasmijn en uitlaatgassen.

Het moesten de Duizend Eilanden geweest zijn, begrijpt hij nu. Vlakbij.

Stella had het over achtervolgers. Jagers.

Het is zijn laatste bewuste gedachte: Neils ogen vallen dicht en zijn oudste nachtmerrie begint opnieuw.

Neil is jong in deze droom, jonger nog dan in het Wilhelminapark. Hij zit tenminste in een buggy en heeft een knuffel op schoot.

Ze hobbelen langs een lage ligusterhaag. De blaadjes zien er onecht uit, precies het stoffige plastic van een playmobil-boom.

'Dit is Dagmars school, beste kerel,' zegt Stella. 'Haal maar een oogvol aan boord. Daar mag je later ook naartoe.'

Hij strekt zijn nek en kan net boven de haag uit kijken. Op de brede ramen van de school zijn, met glasverf en niet al te veel talent, paashazen en blauwe smurfen geschilderd.

'Mag Jaap mee?'

Jaap is zijn beste vriend in de crèche. Jaap heeft een game-boy met meer spelletjes dan Neil vingers en tenen heeft.

'Jaap gaat vast...' Zijn moeder blijft stokstijf staan. 'Niets zeggen,' fluistert ze. 'Beweeg geen pink.'

'Is er een wolf?' fluistert hij terug.

Spannend! Gisteren zonden ze een film vol hongerige wol-ven uit. Ze konden het jongetje Pjotr niet zien zolang hij maar doodstil bleef staan.

'Roofdieren, jagers. Als je stil blijft, zijn we veilig.'

Traag, zo langzaam dat Neil haar hand amper ziet bewe-gen, reikt ze in haar bloes en trekt de munt aan het zilve-ren kettinkje te voorschijn.

Stella heeft die hanger altijd om, zelfs als ze aan het zonne-baden is op het naaktstrand.

'Zoek mij niet links.' Stella draait de munt tussen duim en wijsvinger. 'Niet rechts, niet hier, niet hier. Overal... elders. Zoek mij in de wijde, winterblauwe hemel waar de albatros zeilt. Op weilanden tussen de grazende ganzen en de la-chende kraanvogels. Maar niet hier. Nooit hier.'

Neil weet dat er een puzzel op de munt staat. Net zo'n doolhof als in MIJN EERSTE SPELLETJESBOEK. Alleen zit er zes-hoekig gat in het midden van Stella's doolhof, geen pira-tenschat.

Zonlicht fonkelt op de lijnen van het doolhof. Een mo-ment lijken de lijnen van de munt af te glippen en in muren van pure zonneschijn te veranderen. Ze zigzaggen over de straat, vouwen zich dwars door de huizen uit, rei-ken de school in.

De muren doven uit, maar Neil weet dat ze er nog steeds zijn. Een doolhof, zo wijd als de stad.

'Zoek mij tussen de wieken van ijzeren molens,' fluistert Stella, 'maar niet hier. Nooit hier.'

Bij 'ijzeren molens' ontdekt Neil de jagers aan de overkant van de straat. De twee mannen zien er niet als wolven uit, maar ze zijn het beslist.

Neil kan hun kwaadaardigheid voelen, een nijdig gezoem dat hij eerder met zijn buik dan zijn oren hoort. De voorste heft zijn kin op en zijn neusvleugels verwijden zich. Hij zuigt de lucht zo krachtig in, dat Neil hem hoort snorken. Zie je wel? Een wolf. Ze proberen het spoor van Stella en mij te vinden, onze geur op te snuiven.

Geen angst. Dit lijkt veel te veel op een tekenfilmpje om eng te zijn. Monsters jagen op je maar krijgen je never nooit te pakken, dat weet iedere kleuter.

Ze lijken een beetje op mamma, denkt hij, hun haar is even wit. Blond als een poolvos, zo noemt zijn vader Stella's haar steevast.

'Ik proef haar vrees,' zegt de kleinste man. 'Ze wriggelt als een alikruik in azijn. Die teef moet...'

Zijn maat haalt uit. Neil kan de klets tegen de wang van de ander duidelijk horen.

'Noem haar niet zo! Zij is de Vrouwe van de Behouden Vaart. Onze Stella Maris!'

De ander toont een dubbele rij tanden in een grimas en sist. Meer dan ooit lijkt hij op een magere wolf. 'Pas als ze veilig in haar toren opgesloten zit. Tot dan is ze een vunzige wegloopster!' Hij kromt zijn wijs- en middelvinger en zwaait zijn hand voor het gezicht van zijn maat heen en weer. 'De volgende keer dat je me aanraakt, Prester, de volgende keer voer ik je oren aan de slijkspringers!'

'Vast en zeker, Tebbe. Jij en drie ingehuurde modderworstelaars.' Prester tuurt op het gouden horloge aan zijn pols. 'Ze moet ergens binnen een straal van zestig meter verscholen zitten. Vlakbij.'

'Dat gebouw misschien?'

De jagers kijken recht naar Stella en Neil, maar hun blik glijdt over hen heen.

'Valt te proberen. Wie geen aas strooit, haalt een lege kreeftenkooi op.'

'Te dichtbij.' Stella tikt op zijn schouder. 'Knijp je ogen dicht. Stijf dicht.'

Neil gehoorzaamt. Door zijn wimpers blijft hij naar zijn moeder gluren. Wat niemand ziet, telt niet.

Stella vist een propje blauw papier uit haar jaszak, amper groter dan een toverbal. Ze trekt het propje open, strijkt het glad. Vouwt het opnieuw open en nu is het papier al zo breed als een prentenboek.

Voetstappen.

'Ik denk dat ze zich inderdaad in die school verstopt heeft.' Presters stem klinkt afschuwelijk dichtbij. Neil durft zijn hoofd niet te draaien en bijt hard op zijn onderlip. Als je doodstil blijft zitten, kunnen wolven je niet zien. Ook wolven in een mensenlijf niet.

Stella's papier is intussen zo breed als een krant. Ze schudt het uit tot een tafellaken, trekt een kreukel tot een papieren arm, vouwt een been, een hoofd.

Wat knap! denkt Neil. Waarom heeft ze ons dat nooit geleerd?

Zelfs zijn grote zus is nooit verder dan kraanvogels en brullende draken gekomen. Zijn vader is hopeloos: een papieren hoedje is al een prestatie voor hem.

Neils moeder springt de straat op, wuift met haar armen en sprint weg.

Neil schiet overeind en zijn knuffelpanda tuimelt in de goot. 'Mamma!' krijst hij. 'Laat me niet alleen!'

Een hand smoort zijn schreeuw. Als hij benauwd sputterend opkijkt, staat Stella naast hem. 'Dat ben ik niet,' fluistert Stella in zijn oor. 'Alleen een drog met mijn gezicht.'

'Daar gaat ze!' juicht Tebbe. Hij stoot een ratelende hinnik uit. 'Ik zie je, zuster!'

De mannen sprinten achter de tweede Stella aan. De valse Stella.

En Neil ontwaakt. Als altijd.

Ditmaal probeert hij de rafelende droom vast te pakken, elk detail zijn geheugen in te trekken. Wat de droom alle eerdere keren tot een nachtmerrie maakte, was de onvolledigheid. Hij herinnerde zich zelden meer dan flarden: de jagers die het haar van zijn moeder hadden, Stella die laf wegvluchtte en hem achterliet voor de man-wolven.

Maar ze vluchtte niet. Ze vouwde zichzelf een papieren Stella, denkt hij. Een die genoeg op haar leek om de jagers te misleiden.

'Drog,' zegt hij tegen de duisternis. 'Ze noemde de valse Stella een drog.'

Duizend-Eilanden-kennis. Misschien is het een truc dat ieder kind daar kent, niet moeilijker dan skaten of een zandkasteel bouwen. Ik kan het niet. Daar gaat het om.

Een vreemde honger komt op die niets met voedsel te maken heeft, een intens verlangen naar magie, naar macht. Ik ben Stella's zoon! Ik heb het récht om zulke zaken te leren.

De hemel kleurt grijs achter de donkere daken voor hij uiteindelijk in slaap valt.

Ken jij misschien een zekere Stella?

Neil draait de luxaflex open. Druppels kruipen over het glas omlaag als doorzichtige slakken. Daarachter een egaal grijze hemel.

'Waarom moet het nu weer regenen? Ik wou dat we in Afrika woonden.'

Aan de keukentafel knikt Dagmar heftig. 'Yes yes, een lekker warm land met een blauwe zee en duizend palmboomeilanden.' Ze zegt nog net geen 'oeps!', maar werpt toch een geschrokken blik op Stella. Neils moeder geeft een rukje met haar schouders, trekt een wenkbrauw op. Laat maar.

Het valt Neil niet mee om zich die ochtend normaal te gedragen. Woorden hopsen op het puntje van zijn tong. Zoveel vragen!

Over de Duizend Eilanden spreken kan al fataal zijn, had Stella gewaarschuwd. Er is zo weinig nodig om de jagers op mijn spoor brengen.

Hij gluurt naar zijn vader, die de krant als een windscherm omhooghoudt. Zo nu en dan stoot Richard een vermoeide pruttel uit, een zucht. Neils vader is 's ochtends niet op zijn best.

Zou pappa het weten? Over Stella's eilanden? De achtervolging die nu al meer dan een dozijn jaren moet duren? Natuurlijk! Ouders hebben geen geheimen voor elkaar. Of liever, zo hoort dat.

Uit alle macht probeert hij zich een vreemde gebeurtenis te herinneren, waarbij zijn vader ook aanwezig was.

Keer op keer zijn de Duizend Eilanden Neils wereld binnengedrongen, realiseert hij zich nu. Hij had gedacht dat het dagdromen waren, eigen verzinsels.

Het poeltje bij de camping. Stella zei toen iets over Richard. Hij probeert de herinnering terug te halen.

Het was later dan de jagers, maar niet zoveel later. Ik zat in ieder geval al op school.

Een zomerdag, ja, zo heet en zoemerig dat zonlicht tussen de bomen leek te hangen. Met het puntje van zijn tong tussen zijn tanden had hij zijn papieren scheepje op het wateroppervlak gezet. Voorzichtig, voorzichtig: één schok en het scheepje kantelde.

Een windvlaag rimpelde het vijvertje. Neil hield zijn adem in: het bootje bleef overeind.

De kringen snelden over het water. Grappig: elke kring was hoger dan de vorige en al snel wijder dan de hele poel.

Het bos verdween bij de volgende windvlaag, de tenten losten op. Kilometers en kilometers water klotste in een plas die een paar seconden geleden amper tot zijn enkels kwam.

De boeggolf van een passerende aak smeet Neils bootje om en vouwde het uit tot een natte klieder.

Neil stond ontzet aan de onmogelijk oever. Twee snuiten doken op uit het grijze water, zeehonden zo groot als nijlpaarden.

'Mamma,' piepte hij, 'mamma. Mijn boot...'

Het ging natuurlijk niet om zijn boot. In de speelkoffer lag nog een compleet pak gekleurde vouwblaadjes: hij kon desnoods een vloot nieuwe bootjes maken. Het was deze onmogelijke plaats, het spottende knorren van de logge, bruine beesten in de branding.

Ik ben verdwaald. Ik zal onze tenten nooit meer terug kunnen vinden.

Voetstappen raspten door het ruige gras achter hem.

Stella legde haar handen op zijn schouders. 'Sluit je ogen, liefje.' Hij gehoorzaamde met een snik van opluchting. Haar geur was veiligheid, bescherming. Was: mij kan niets slechts meer overkomen.

'Adem diep in.' Ze kneedde zijn nekspieren. 'En uit. Je bent hier, Neil van me. Enkel hier. De camping. Otterloo.'

Hij gehoorzaamde. Moeders zijn je warme knuffeldeken, de hoge muur, waarover zelfs grommende beren niet kunnen klimmen.

Als ik mijn ogen opendoe, zullen ze weer terug zijn, beloofde hij zichzelf. Merels en leeuweriken, geen zeemeeuwen, geen harige zeemonsters.

'In en uit, Neil. Goed zo, ja. Laat de eilanden los, laat de zee weer terugvloeien. Ik zie de boomtoppen al tussen de masten doorschemeren. In en uit.'

Hij telde tot twintig en bleef zo diep mogelijk ademhalen. De bries viel abrupt weg en maakte plaats voor het gegons van bijen. In de verte lachte een specht zo luid dat hij er bijna in leek te blijven.

'Mag ik weer kijken?'

'Ga je gang.'

Hoge sparren. De onmogelijke zee is tot een zanderige poel gekrompen. Al is zijn bootje wel verdwenen.

'Waar was dat?'

'Het blijft ons geheimpje,' zei zijn moeder. Wat niet bepaald een antwoord was. 'Vertel maar niks aan je vader. Hij ziet zulke dingen meestal niet. Nooit eigenlijk.'

Zeg maar niks tegen je vader. Hij ziet zulke dingen meestal niet.

Neil werpt een steelse blik op zijn vader. Richard heeft de Volkskrant opzij gelegd en nipt nu met gesloten ogen aan een mok pikzwarte koffie.

Richard weet het niet. Hij kan het niet zien.

Omdat pappa enkel van hier is. Gewoon een mens. Door zijn aderen stroomt geen druppel Eilandersbloed.

Arme pappa.

Stella schuift juist een derde krat bierflesjes in de achterbak als Neil op zijn fiets uit het tuinpoortje rijdt.

'Zo zo, jullie hebben flink doorgedronken.'

'Ach, het is nog van je oom Herbert vorige week. Als hij en tante Kim langskomen kun je beter een tankwagen bier voor het huis parkeren.' Ze slaat de achterklep dicht. 'Na mijn werk breng ik ze wel even naar de supermarkt.'

Een afgrijselijke krijs snijdt door de ochtendstilte. Het kaatst tussen de huizen. Een tweede doodskreet snerpt voor de echo's kunnen wegsterven.

'Wat is dat in vredesnaam? Het kwam van boven.' Neil zoekt de hemel af, de daken. 'Klonk alsof er een baby gekeeld werd.'

Bij de derde krijs ontdekt hij de schuldige. Een forse kraai zit op de rand van de dakgoot van de Groenevelders. Hij opent zijn gele snavel.

'Hou je stomme rotkop!' schreeuwt Stella. Haar bierflesje spat vlak onder de dakgoot in scherven uiteen. De vogel wiekt beledigd op, strijkt een huis verder op een schoorsteen neer.

'Jij was goed boos, zeg.'

'Zo klinkt een misthoorn,' zegt Stella. 'Een angstschreeuw die elke doezelende schipper uit zijn slaap rukt.'

'Misthoorns loeien toch?' Waar heeft Stella het over?

'De onze niet, Neil. Niet de misthoorns van de Duizend Eilanden.' Ze tuurt naar de grijze hemel. 'Kraaien zijn naparters. Ze bootsen rinkelende trams na, de beltoon van je mobieltje. Ze verzinnen niets zelf.'

'Oh.'

'Hij moet de misthoorn gehoord hebben. Kort geleden. De Duizend Eilanden waren vlakbij.'

De Duizend Eilanden. Ineens is het geen wonderbaarlijk toverland meer, geen plaats waar hij superkrachten kan leren.

Dit was te dichtbij, denkt Neil. Als een kraai de misthoorns hoorde, moeten de golven bijna tegen ons huis geklotst hebben.

Hij kijkt naar Stella die de straat afspeurt. Gebalde vuisten, rukjes met haar hoofd.

Ze is zo gespannen als een opgejaagd dier.

'Ons naambordje, Neil!' Ze grijpt zijn pols vast. 'Ik ben een daas, een zandgeep met wier in d'r harsens! Ik kan net zo goed een barnstenen knipperpijl ophangen met "Hier huist jullie Vrouwe"!'

'Wat bedoel je?'

'Ik had mijn naam moeten veranderen. Geen Stella. Stella is niet alleen hoe ik heet, maar ook wat ik ben. Elke jager zou mijn naam meteen herkennen.'

Ze trekt de rol met gereedschappen ratelend onder de voorbank vandaan en duwt hem een schroevendraaier in de hand. 'Draai het naambordje los. Ik haal een hamer uit de bijkeuken.'

Het naambordje is een hemelsblauwe tegel. Natuurlijk Stella's werk. Een lijst van geglazuurde schelpen en hun voornamen staan er in krullerige zilveren letters op.

STELLA & RICHARD GREVENDAL. Daaronder: DAGMAR & NEIL & BORNEO. Borneo was Dagmars cavia, die intussen al twee jaar dood is.

De schroeven zitten vastgeroest. De vierde is hopeloos: hij lijkt niet eens meer op een schroef en van een gleuf is al helemaal geen sprake meer. Neil werkt de schroevendraaier voorzichtig onder de hoek linksonder en wrikt. Voorzichtig: het is zonde om de tegel te kraken.

'Laat mij maar,' zegt Stella achter hem. 'Als je even opzij wil stappen?'

Haar mokerhamer smakt tegen de tegel, die in scherven op de stoep klettert.

Stella valt meteen op haar knieën en heft haar hamer op. Ze timmert door met een verbeten soort woede die Neil angst aanjaagt. Er zit zoveel wanhoop in.

Met haar hak schopt Stella de gruzels en het witte stof in de goot. Ten slotte geeft ze er een mep op die splinters laat rondspatten.

'Slimme jager die hier een letter van leest.'

Ze komt overeind en duwt de moker in Neils hand. 'Kun jij die even terughangen? Ik moet als de wiedeweerga door naar mijn werk.'

'Je wang bloedt,' zegt hij. 'Ik denk dat een van die scherven...'

Ze veegt over haar wang, werpt een blik op haar vingertoppen. 'Gaat vanzelf wel dicht.' Ze lacht, maar een kraai zou het overtuigender doen. 'Als je lekker bezig bent, valt zoiets je niet op.'

Neil kijkt de wegrijdende auto na.

Als je lekker bezig bent. Stella was zo trots geweest op dat naambordje. Het eerste werkstuk dat intact uit haar nieuwe pottenbakkersoven kwam.

Neils linkerbuurman houdt zijn spreekbeurt vandaag: hockeyen. Jeffrey heeft een video meegenomen van zijn laatste wedstrijd. Het lokaal is aardedonker en de beamer werpt een schokkerig beeld op de witte muur.

Hockey: Neil kan zich amper een stommer onderwerp voorstellen. Een beetje met een malle stok tegen een raar balletje meppen. Het ergste is nog dat het altijd zaterdagochtend vroeg is. Net als zijn vader blijft Neil liever uitslapen.

'En dan heb je natuurlijk ook de regionale competitie,' neuzelt Jeffrey.

Zelf houdt Neil van ruigere sporten. Wildwaterkanoën, bergbeklimmen. De eerste keer dat hij zich tegen een bergwand omhoog klauwde, eindigde hij met bloedende vingertoppen. De rest van de week had hij zo'n spierpijn dat hij uitsluitend kon hinken. Ha, hij kon amper een lepel vasthouden, zo verkrampt waren zijn vingers! Kijk, dan weet je dat je écht gesport hebt.

Marlies steekt haar hand op.

'Op de video zwaaien jullie zo woest met de sticks in het rond. Doet het geen pijn als iemand een knal tegen je been geeft?'

'Ze dragen beenbeschermers. Net als bij voetbal.'

'Rood-wit!' brullen de toeschouwers. 'Rood-wit, jajaja!'

'Eilandkind?'

De stem smiespelt en slist. Hij komt maar amper boven de soundtrack uit. Twee, drie seconden lang gelooft Neil dat hij het zich verbeeld heeft. Dat het niet meer dan geruis op de videoband was.

'Duizendkind? Jij?'

Met de grootste tegenzin draait hij zijn hoofd om. Op Jeffreys stoel hurkt een reusachtige witte rat. Lang, warrig haar glinstert in het licht van de projector.

'Ik ruik je geur,' zegt het dier. 'Háár geur.'

Deze keer is zijn stem onmiskenbaar. Het is een beest van de Eilanden, een kletsend, wauwelend mormel. En hij zoekt Stella.

Neil blijft stokstijf voor zich uitkijken.

Ik ben vast de enige die hem kan zien. Misschien gaat hij weg als ik hem negeer, dwars door hem heen kijk.

Ik ben een gewoon kind, denkt hij uit alle macht. Doodnormaal en Jeffreys stoel is leeg. Leeg, leeg!

'Jij ja?' dringt het wezen aan. 'Stellamariswelp?'

Hij heft zijn kop op en kijkt Neil recht in de ogen.

Neils zelfbeheersing spat als een kerstboombal onder een olifantspoot uiteen. 'Ga weg!' krijst hij. 'Ga weg!' Hij grist zijn tas van de vloer en slingert hem naar het afschuwelijke monster. De rat schiet onder de tafeltjes weg. Een grijze schicht die door de schaduwen wordt opgeslokt.

Het licht knipt aan. 'Mag ik vragen wat er aan de hand is, Neil?' Meester Justin staat met zijn armen op de rug, naast de beamer.

'Iets, iets beet me, mees,' mompelt Neil.

'In de verbandtrommel in de leraarskamer zit een stift Prikweg. Vraag het maar aan de conciërge.'

'Ja, mees.'

'Ga verder met je hoogst belangwekkende verhaal, Jeffrey.'

In de gang leunt Neil sidderend tegen de kille tegelmuur.

Het was geen rat. Ratten hebben snuiten, geen mensengezichten met een neus, een kin, duidelijke lippen.

Het afschuwelijkste was dat hij het gezicht herkende. Afgezien van het harige rattenlijf had het een tweelingzusje van Stella kunnen zijn.

De conciërge steunt met zijn basketballschoenen op zijn bureau terwijl hij een dun sigaartje rookt. Hij is de enige die nog in school rookt. Niemand durft het hem te verbieden. 'Is dat onze Neil niet?'

'Goed geraden, meneer Wezep.' Hij wipt van zijn ene voet op de andere. 'Ik moet, eh, ik moet mijn moeder bellen. Het is dringend.'

De conciërge tikt de as van zijn sigaar en drukt een knop op de telefoon in. 'Ga je gang.'

'Mag ik soms even alleen zijn?' Jasses, denkt hij, wat klinkt mijn stem jankerig. Hij probeert het brok in zijn keel weg te slikken.

'No problemo, kerel.' De conciërge trekt de deur achter zich dicht.

Neils moeder neemt pas bij de negende rinkel op.

'Stronk & Van Hesperen Machinebouw,' ratelt ze. 'Afdeling onderhoud en reparatie. Heeft u een momentje?' Ze spreekt 'Heeft u een momentje?' als één woord uit.

'Stella, ik ben het! Niet in de wacht zetten!'

'Neil? Ik schakel hem over naar Janice.' Geklik. 'Ja? Ik hoop dat het echt dringend is, want ik heb juist een lastige klant aan de lijn. Een superzeurkous die helaas ook een van onze grootste klanten is.'

'Er was een rat op school. Een pratende en hij had jouw gezicht!'

Het blijft even stil. 'Dat is op zijn zachtst gezegd hinderlijk.'

'Was het een drog?' vraagt Neil.

'Hoe ken je dat woord?' Het is bijna een snauw. Neil begrijpt dat het niets met hem te maken heeft. Stella wil verborgen blijven, zichzelf onzichtbaar maken. Elk Eilanderwoord is als een rinkelende alarmbel voor haar.

'Je vouwde er een. Toen de jagers je bijna vonden.'

'Ik was vier, geloof ik,' voegt hij eraan toe.

'Jij hebt een bijzonder goed geheugen. Nee, Neil, het was geen drog. Droggen leven niet en praten proberen ze niet eens. Jouw rat was een blodling.'

'Een blodling? Hoe kun...'

'Later,' onderbreekt ze hem. 'Ik moet even nadenken.' Neil hoort de wieltjes van haar bureaustoel piepen. Het drukknopje van haar ballpoint klikt nerveus. Peinzen doet Stella zelden in stilte.

'Ja, ik heb het wel ongeveer,' zegt ze ten slotte. 'Je parkeert je fiets in de stalling op de Vredenburg en loopt naar de Albert Heijn. Daar koop je een busje gemalen nootmuskaat. Nee, maak dat twee busjes. Buiten schud je bij elke vierde stap een wolk nootmuskaat achter je. Blodlingen zijn er bijzonder allergisch voor. Eén snuif en ze rollen niezend en brakend door de goot.'

'Handig om te weten.'

Stella negeert hem. 'Vervolgens neem je de lift naar de bovenste verdieping van de V&D. Louter voor de zekerheid: een lift is te krap en te goed verlicht voor een blodling om je ongezien te volgen. Waarschijnlijk heb je hem dan al afgeschud. Ga een paar keer op en neer. Ten slotte de bus naar huis. Je fiets laat je in de stalling staan. Heb je dat?'

'Zo ongeveer. Fiets in de stalling, nootmuskaat op straat, de lift en dan de bus.'

Terug in de klas blijft hij bloednerveus. Al zijn zintuigen staan op scherp: uit iedere donkere hoek van het lokaal vangt hij onderdrukt gegiechel op. Rattenpootjes trippelen over de vloer. En daar, tussen de buizen van de centrale verwarming, glittert daar geen venijnig oogje?

Aan de rand van zijn gezichtsveld glipt een bleke vlek achter de rij atlassen. Het is weg voor hij zijn hoofd kan draaien.

Misschien is het verbeelding en is de blodling al lang en breed verdwenen. Zodra hij nauwkeuriger kijkt, blijkt het valse oog een propje zilverpapier te zijn. De bleke schim is niet meer dan een vlek zonlicht die door een raam aan de overkant het lokaal in gekaatst wordt.

Als de laatste bel gaat, is Neil uitgewrongen. Zijn ogen tranen van al dat getuur en hij heeft een knik in zijn nek van het abrupte omkijken.

Stella's waslijst met opdrachten afwerken is een opluchting. Nu kan hij tenminste iets ondernemen, actie in plaats van angstig afwachten.

'Snuif maar lekker op,' mompelt hij terwijl hij de ene wolk nootmuskaat na de andere over de stoeptegels schudt. 'Ja, kots je darmen uit je lijf, vuile blodling!'

Hebben blodlings eigenlijk wel darmen? Ik moet het Stella vragen zodra ze thuiskomt. Verder zwijgen over de Duizend Eilanden is zinloos: de jagers moeten Stella vlak op de hielen zitten als ze mij gevonden hebben. Nee, Dagmar en ik horen juist zo veel mogelijk te weten om de jagers voor te zijn.

Dagmar! Stel je voor dat een tweede blodling haar gevonden heeft? En haar nu naar huis volgt?

Shit, Dagmars school is al lang en breed uit. Ik heb geen enkele kans om haar nu nog te bereiken...

Nee, stop, ho. Geen paniek, ze blijft gewoonlijk zeker een halfuur met vriendinnen nakwekken op het pleintje. Uiteindelijk komt ze dan door de Breedijkerdwarsstraat naar huis fietsen.

Ik kan haar op de hoek van de straat opwachten. Haar onderscheppen voor ze de blodling naar ons huis leidt.

Hij duwt het busje nootmuskaat in zijn jaszak.

Stella kan me wat, ik pak mijn fiets. Niks geen V&D-gelift, geen omrijden met de teutbus: Dagmar tegenhouden is belangrijker.

Buiten de fietsenstalling wrijft hij zijn banden in met nootmuskaat. Knappe blodling die zijn spoor nu nog kan volgen.

Neil is buiten adem als hij zijn straat eindelijk in fietst. Zijn overhemd zwabbert over zijn rug, kletsnat van het zweet. Zijn ademhaling raspt in zijn keel.

Het lijkt verdorie de Tour de France wel.

Halverwege de straat remt hij en werpt een blik op zijn huis. Dagmars fiets staat godzijdank nog niet tegen de voorgevel gekwakt: ze is gewoonlijk te lui om naar achteren te rijden.

'Pubers!' had Stella een keer gezucht. 'Het houdt pas op als ze zelf kinderen hebben.'

De voorkant ziet er akelig kaal uit zonder Stella's kleurige naambordje. De kudde rijstpapieren vouwdieren is ook uit de vensterbank verdwenen. Waarschijnlijk haastig in een la geveegd toen ze haar mokerhamer ging halen.

Ze heeft aan alles gedacht. Al haar sporen uitgewist.

'Jongmaatje!' Drie huizen verder zwaait een man naar hem. 'Ik heb bij een emmervol deuren de bezoeksklok

geluid, maar er schijnt niemand thuis te zijn. Ben jij hier soms bekend?'

'Zo'n beetje.' Neil is meteen op zijn hoede. Elke vreemdeling is verdacht en het Nederlands van deze man klinkt zacht gezegd curieus. Bijna Stella-Nederlands met zijn jongmaatje en emmervol deuren. 'Ik woon een paar straten verderop.'

Hij stopt naast de man, die tegen zijn geparkeerde wagen leunt.

'Ik zoek een zekere Stella,' zegt de man. 'Stella Scheepsgarth. Ik zou haar erg graag spreken.'

'Oh?' Het klinkt eerder als een verschrikte hik dan een verzoek om verdere uitleg.

Een Eilander, een jager. Blijf kalm. Hij weet niet wie ik ben. Angst maakt Neils blik havikscherp: het is alsof hij naar zo'n plaatje met Zoek de Zeven Fouten kijkt. Elk subtiel verkeerd detail springt eruit. Plastic regenjassen horen geen kraag van zeehondenbont te hebben. En die ring door zijn oor: met ringen is niets mis, maar een ring van flesgroen glas?

Het korte haar van de man is zwart, niet hoogblond als bij de eerdere jagers. Dof, weinig overtuigend zwart: geverfd?

'Misschien heeft ze haar naam veranderd,' zegt de man, 'of is ze getrouwd. Of veranderen ze hier hun voornamen dan niet?' Hij smakt zijn vuist in zijn handpalm, kraakt afwezig zijn knokkels. 'Laat maar. Wat ik bedoel: ken je geen vrouwmens die Stella heet? Of een naam die daar een pietsel op lijkt. Ster misschien?'

'Nee, sorry. Ik ken deze straat redelijk goed. Mijn beste vriend woont daar. Jeroen.' Neil wappert naar zijn eigen huis. 'Jeroens overbuurvrouw heet Stien. Jeroen dat is mijn beste vriend.'

Niet gaan wauwelen. Voor je het weet vertel je per ongeluk de waarheid. 'Of misschien bedoelt u Estrellita? Die woont op nummer negentien.'

De oren van de man komen overeind. Letterlijk overeind. Het is een beweging die niemand ooit zou verwarren met eenvoudig wiebelen.

'Estrellita,' herhaalt de man, de jager. 'Es trel lita.' Het is alsof hij het woord proeft en over zijn tong laat rollen. De smaak lijkt hem te bevallen. 'Dat zit er in ieder geval verdraaid dichtbij. Zoals de schipper zei toen de kok hem een geroosterde kat als hazenbout voorzette. Hoe oud schat je die Estrellita van jou? Ergens in de dertig?'

'Nou nee. Acht en ze is een vreselijk kreng.' Neil begint er plezier in te krijgen. Het is een beetje alsof je met een stok tussen de tralies van een tijgerkooi port.

Natuurlijk woont er geen Estrellita in zijn straat.

Toch ziet hij die trut haarscherp voor zich. Estrellita heeft twee zwiepende staartjes met vlinderclips van glitterplastic. Een jasje waarop rode en blauwe rozen geborduurd staan. Als ik zulke kleren van mijn moeder moest dragen, zou ik ook een vreselijk kreng worden, gaat het door hem heen. Eigenlijk is Estrellita best wel zielig.

'Je kent alle woners hier?'

Neil knikt. 'Sorry, geen Stella. Of het zou een van de kleuters bij de familie op nummer 9 moeten zijn. Daar komt elk jaar een nieuwe baby bij.'

'Mijn dank.' De man steekt zijn hoofd door het open raampje naar binnen. 'Dit is in ieder geval de verkeerde straat, kleine zuster. Misschien ook de verkeerde wijk. We zoeken verder.'

Een borrelend gekokhals is het enige antwoord.

Over de kruin van de jager vangt Neil een glimp van de

achterbank op. Op de zitting ligt een overmaatse rat opge-
rold. De staart schokt en heeft een ongezond paarse tint.
Het mensengezicht zit diep in de vacht gedrukt waaruit
een nadrukkelijke nootmuskaatgeur walmt.

Neil zet in pure paniek af. Zijn linkerenkel schampt pijnlijk
langs de trapper en hij rijdt met een levensgevaarlijke
zwieperd de straat op.

Als Neil op de hoek van de Breedijkerdwarsstraat omkijkt,
draait de wagen van de Eilander al een zijstraat in. Hij
hoort de auto gierend optrekken.

Heilige goden, als dat beest mij herkend had...

Kleine zuster noemde de man hem, nee, haar. Vreemde
naam voor een monstertje.

De amulet

Dagmar rijdt de straat van de verkeerde kant in en heeft haar fiets al tegen de gevel geparkeerd voor Neil haar opmerkt. Gelukkig maakt het niets meer uit: de jager en zijn blodling zijn vertrokken.
'Naar binnen,' zegt hij gehaast. 'Ik moet je iets vertellen.'

Wonder boven wonder hoort Dagmar hem aan zonder hem ook maar één keer te onderbreken.
'Interessant,' zegt Dagmar en Neil kan zijn zus wel wurgen. Je kunt ook té cool zijn. Vertel je je zus dat een jager en zijn monstertje haar moeder bijna te pakken hebben, zegt ze: 'Interessant.'
Het gerinkel van de telefoon laat hem opveren.
Ze duiken beiden naar het kastje, maar Neil is sneller.
'Met mij. Neil Grevendal bedoel ik.'
'Stella hier.'
Neil voelt een schokje van vreugde bij het horen van haar stem. Ze is veilig.
'Er stond een jager in onze straat, mamma. Met dezelfde blodling als in de klas. Alleen wist hij niet waar je woonde. Hij is trouwens weg nu. Ik vertelde...'
'Ik geloof best dat hij weg is,' onderbreekt Stella hem.

'Want hij is hier! Hij en nog een jager en ik kan de fabriek niet uit.'

'Maar hij is hier pas tien minuten geleden vertrokken! Al reed hij door alle stoplichten, hij kan onmogelijk al bij Stella's fabriek zijn.'

Het is zo oneerlijk! Na zijn prachtige leugenverhaal over een beste vriend en dat kreng van een Estrellita heeft de jager Stella toch gevonden.

'Dan zijn ze blijkbaar met z'n drieën,' zegt zijn moeder. 'Luister: ik zit hier knersend in de val. Als een Urker kreeft in zijn kooi. Een van de jagers blokkeert de hoofduitgang. Ik kan hem vanuit het raam zien. De ander moet ergens door het gebouw sluipen. Godzijdank belde de portier me dat een klant me dringend wilde spreken.' Ze begint sneller te praten. 'De amulet van Minos is mijn enige kans. Die doolhofhanger die ik altijd om mijn nek draag, ja?'

'Ken ik.'

'Ik heb mijn mobieltje aan. Bel me zodra je voor de poort staat. Ik breek nu af.'

'Nee, nee! Wáár is je hanger?'

'Och natuurlijk, ja. Op de magnetron. Zo stom, toen ik de mokerhamer van het rek rukte, bleef het kettinkje achter een ijzerzaag haken. De hanger kletterde op de vloer en ik legde hem zolang op de magnetron.'

'Ik kom eraan.'

'Schiet alsjeblieft op! Zonder amulet ben ik even zichtbaar als een zeemeeuw op een kraaienfeest! Wacht, wacht. Raak de amulet niet aan. Zodra hij op je blote huid komt, stelt hij zich op jou in. Dan kan ik net zo goed met een sleutelhanger zwaaien.'

'Doe ik.' Hij legt de hoorn neer.

'Mamma?' vraagt Dagmar.

'Ja, ze heeft haar hanger dringend nodig. Er zijn jagers in haar fabriek.'

'Waarom heeft die stomme trut haar hanger dan in vredesnaam niet om? Zo kunnen ze haar zien!'

Ah, Dagmar heeft het amulet blijkbaar ook een keer in actie gezien en alles voor zichzelf gehouden. Wat hebben Dagmar en ik elkaar nog meer niet verteld?

'Mijn fiets is te langzaam,' zegt hij. 'Jij kunt toch op Richards brommer rijden?'

'Ik weet waar zijn contactsleutel hangt.'

Gelukkig geen gemiep over 'ik ben pas vijftien' of 'ik mag niet' en 'ik durf niet'. Hij heeft Dagmar op Germaines motor door de stad zien scheuren, en dat was een veel zwaardere machine. Een motor, geen brommer.

'Rijd hem vast voor de deur,' zegt Neil.

Neil snelt de keuken in. Stella heeft haar hanger inderdaad boven op de magnetron gekwakt: het gebroken kettinkje bungelt voor het glazen deurtje.

De zeshoekige munt is zwart uitgeslagen: alleen de lijnen van het doolhof glinsteren met een blauwig licht. Alsof ze met minuscule vonken gevuld zijn.

Elektriciteit, denkt hij. Geen magie. Magie bestaat niet. Het moet een apparaat zijn van de Eilanden, niet wonderbaarlijker dan een horloge of een mobieltje.

Hoe startte Stella hem toen ook weer op?

Een eindeloos uitgerekt moment is hij terug in de straat: een kleuter in een buggy, de witharige jagers zo dichtbij dat hij ze kan aanraken.

Ze kantelde de munt tot het zonlicht muren maakte, een doolhof over de straat en de huizen kaatste.

'Niet links,' commandeerde ze. 'Niet rechts, niet hier, niet hier. Overal... elders.'

Zoek mij in de wijde, winterblauwe hemel waar de albatros zeilt. Op weilanden tussen de grazende ganzen en de lachende kraanvogels. Maar niet hier. Nooit hier.'

De woorden staan onwrikbaar in zijn geheugen gebrand. Hij kent ze even goed als zijn eigen achternaam.

De voordeurbel rinkelt en de zonnige straat verdwijnt, de jagers. Hij schudt zijn hoofd, wrijft met zijn knokkels over zijn wangen.

De herinnering was zo stérk. Echter dan de werkelijkheid.

'Kom je nog, slomo?' roept Dagmar door de brievenbus.

Hij reikt naar de munt.

'Niet aanraken!' Stella's stem lijkt in zijn oren te galmen en hij rukt zijn hand terug.

Zodra hij op je blote huid komt, stelt hij zich op jou in, had Stella gewaarschuwd.

De oranje ovenwant. De ovenwant moet veilig zijn.

'Is er iets mis?' vraagt Dagmar.

'Bijna wel.' Hij pakt de munt op.

'Hoe werkt die stomme versnelling?' moppert Dagmar als ze hokkend en pruttelend de straat uit rijden. 'Bij Germaine...' Ze draait haar hoofd. 'Ik kon de helmen zo snel niet vinden. Probeer eruit te zien alsof je ook zestien bent.'

'Ik doe mijn best.' Oók zestien. Ammehoela: Dagmar wordt pas over vijf maanden zestien.

Stella's hanger zit veilig opgeborgen in het voorvakje van Richards oude aktetas. Bij elke bocht klemt hij de tas krampachtig tegen zijn zijde. Zijn andere arm heeft hij om Dagmars middel geslagen.

Zijn zus kan de brommer besturen hoewel ze de bochten steeds gevaarlijk ruim neemt en wel erg laat op rode stoplichten reageert.

Een kwartier, drieëntwintig minuten. Bij elke blik op zijn horloge groeit zijn angst. Ze lijken over de weg te kruipen terwijl de minuten even snel wegtikken als seconden bij een quiz.

Ze passeren Dagmars school, draaien het pleintje op. Dagmar remt af voor het rode stoplicht.

Neil port haar in haar zij. 'Doorrijden!' roept hij. 'Er komt niemand aan!'

Het gebeurt te snel om meteen te begrijpen. Neil voelt een ruk aan zijn arm, die hem bijna van de bagagedrager sleurt. Het leeuwengebrul van een wegscheurende scooter slaat in een golf van geluid over hem heen.

'Hebbet tassie!' joelt een stem.

Dagmar gilt. Richards brommer zwalkt over het plein, maakt een wilde zwieper naar links en mist een geparkeerd bestelbusje op een handbreedte.

Ze komen tot stilstand met de voorband tegen de stoeprand.

'Wat was dat?' Dagmar strijkt een vochtige krul uit haar ogen. 'Wat gebeurde er?'

'Ik...' Neil zoekt de straat af. De scooter schiet een zijstraat in. Een van de twee jongens houdt een zwarte rechthoek omhoog. Triomfantelijk.

'De tas,' zegt hij en hij moet het herhalen voor de volledige omvang van de ramp tot hem doordringt. 'Ze rukten de tas uit mijn handen. Met Stella's hanger!'

De sprong

'Een stelletje vuile tasjesdieven.' Dagmars stem klinkt zo kalm, zo afgemeten dat Neil begrijpt dat ze witheet is. 'Een stelletje laffe jatmozen.'

Ze trapt de brommer aan. 'Ik neem ze te grazen.'

Neil weet dat het geen bravoure is, geen grootspraak, maar een eenvoudige mededeling. Dagmar is een felle. Toen ze in groep acht zat, schopte zo'n akelig kereltje van het Wibaut Alsema College tegen het achterspatbord van haar nieuwe fiets. Hij was drie jaar ouder en een kop groter dan Neils zus.

'Beetje dom dat,' zei Dagmar. Ze stapte af en parkeerde haar fiets tegen een lantaarnpaal. 'Daar ga je spijt van krijgen.'

'Ja ech?' De jongen stootte een kameraad aan. 'Owow, wah ben ik nu bàng.'

Dagmar wandelde ongehaast op hem af en keek hem recht in de ogen. Vervolgens stompte ze hem in zijn gezicht en dreef haar knie in zijn buik. Zodra hij dubbelsloeg, haakte ze hem pootje en duwde hem met zijn gezicht in een bos brandnetels.

Een brommer, die weinig meer dan een uit de kluiten gewassen motorfiets is en waarop Richard misschien één keer

48

in de maand toert tegen een vers gestolen scooter? Neil en Dagmar maken geen schijn van kans.

Op de kruising voor de Bouwmarkt geeft Dagmar het op: je kunt niet minder dan zes richtingen uit en het verkeer is razend druk. Van de scooter valt geen spoor te bekennen.

'Ik zoek een telefooncel,' zegt Dagmar. 'We moeten Stella waarschuwen.'

'Slecht idee. Haar mobieltje heeft geen triller: als we haar bellen, gaat hij over. Stel je voor dat ze net veilig verscholen zit en een van de jagers haar mobieltje hoort rinkelen?' Hij heeft die scène een keer in Buffy the Vampireslayer gezien. Daar ging het weliswaar om een hongerige slijmdemon, maar de situatie was hetzelfde.

'De fabriek dan. We vragen Bannink om hulp. Zeggen dat lui Stella lastigvallen. Hij is dol op Stella.'

'Goed idee. Bannink maakt ze af.'

Bannink is twee meter lang en zijn schouders lijken bijna even breed. Op bedrijfsfeestjes verkleedt hij zich steevast als Monster van Frankenstein.

Neil zoekt de hoofdingang af: als de jager nog op Stella wacht staat hij in ieder geval niet in het zicht. 'Niemand.'

'Ze zitten al binnen, vrees ik,' zegt Dagmar.

Of ze zijn al vertrokken, denkt Neil. Met Stella.

Hij durft het niet hardop te zeggen. Zolang je je angst niet uitspreekt, bestaat er nog een klein kansje dat je het verkeerd hebt.

Achter de balie wrijft de receptioniste een plakplaatje van een blauwe vlinder op haar linkerwang af. Vandaag draagt Donna een dozijn glazen kerstboomklokjes in haar dreadlocks. Haar naveltruitje is kort genoeg om alle drie haar piercings en een getatoeëerde ratelslang te tonen.

Donna is de dochter van de eigenaar en kan min of meer haar eigen gang gaan. Haar ouders zijn allang blij dat ze uit New York terug is en niet langer voor rapper wil studeren.

'Hai, Donna,' zegt Neil.

'Doeg. Komen jullie op bezoek?' Donna strekt een lome hand uit naar de intercom. 'Ik zal Stella even bellen.'

'Nee, niet bellen,' zegt Neil haastig. 'We vinden het zelf wel.'

'Bel Bannink, mocht je Stella zien,' zegt Dagmar. 'We gaan eerst bij hem langs.'

'Orkiedorkie.'

Ze vinden Bannink in hal negen. Of liever gezegd zijn benen en twee met smeerolie besmeurde Doc Martens. De rest van de monteur ligt onder het chassis van een open ge-schroefd sneeuwkanon.

Neil laat zich op zijn knieën zakken en houdt zijn hoofd scheef. 'Bannink? Stella zit in de problemen.'

'Ah?' Een schroevendraaier klettert op de vloer en Bannink wurmt zich hijgend en steunend onder de machine uit. 'Wat?'

'Ze belde dat twee mannen haar lastigvielen.'

'Mannen? Wat voor mannen?'

'Eh.' Bannink is een aardige kerel, maar je moet je uitleg het liefst eenvoudig houden.

Ik kan moeilijk over jagers beginnen of een pratende rat.

'Ontevreden klanten,' zegt Dagmar. Neil knikt instem-mend. Monteurs begrijpen ontevreden klanten.

'Donna zei dat ze boos geschreeuw door de intercom hoor-de,' vervolgt Neils zus. 'Ze dacht dat we jou er het beste bij konden halen.'

'Als ze Stella ook maar een haar van d'r mooie koppie krenken... Ha, dan hebben ze een émmer Bison Kit nodig om hun botten te lijmen.' Bannink rommelt in zijn ijzeren gereedschapskist en komt met de Engelse sleutel zo lang als zijn onderarm overeind. 'Mee.' Hij kletst de loodzware moersleutel tegen zijn open handpalm. 'Naar haar kantoor.'

'Ik hoor anders niemand schreeuwen,' zegt Bannink twijfelend als ze voor Stella's deur staan. 'Weten jullie zeker...'
REPARATIE EN ONDERHOUD melden opkrullende plakletters. Zelf heeft Stella er een briefje onder geplakt met: KLOPPEN IS WEL ZO BELEEFD.
Stella doet gewoonlijk de administratie van de afdeling Onderhoud & Reparatie. Al is ze er niet vies van een overall aan te schieten als het druk is. De monteurs vinden het prachtig als een meissie weet waarover je klaagt als je op een slippende nummer-vier-drijfriem kankert.
'Als jullie om de hoek blijven wachten?' stelt Neil voor. 'Misschien is er niets aan de hand en als jij binnenstuift met je grootste moersleutel...'
'Prima.' Bannink laat het massieve moordwapen tegen zijn schouder rusten en grijnst al zijn gouden kiezen bloot. 'Eén kik en ik kom knarren pletten.'

Neil duwt de kruk zo langzaam mogelijk omlaag om een verraderlijke klik te vermijden.
Stella zit achter haar bureau, een kop koffie opgeheven. Ze glimlacht in zijn richting.
De rest van de kamer is leeg.
Stella is veilig! We hadden ons nergens zorgen over hoeven maken. Stella kan haar eigen problemen oplossen.

Hij duwt de deur helemaal open en stapt de kamer in.

'Mamma, wij...'

Zijn moeder schiet overeind, terwijl de glimlach op haar lippen gefixeerd blijft en snelt met een hoogst eigenaardige hobbelpas op het open raam af. Stella slaat een been over de vensterbank en werpt zich de diepte in.

'Nee...' De schreeuw blijft ratelend in Neils keel hangen. Die lege rechthoek vol blauwe hemel is het afschuwelijkste wat hij ooit gezien heeft.

Zo'n sprong kan niemand overleven. Niemand. Stella's kantoor ligt op de zesde verdieping en beneden wacht een parkeerterrein van ongenadig harde betonplaten.

Met slepende passen schuifelt hij naar het raam.

Hij haalt diep adem, knippert met zijn ogen en kijkt omlaag.

Op Richards brommer na is het parkeerterrein verlaten. Geen piepklein figuurtje als een gebroken pop. Geen traag uitvloeiende bloedplas.

Een beweging in Neils ooghoek. Hij draait zijn hoofd automatisch om.

Een roze vel pakpapier fladdert over het dak van een loods weg. Voor een nieuwe windvlaag het verder uitvouwt, ziet hij een arm met een koffiekop gebaren. Stella's glimlach verbreedt zich en dan maakt een nieuwe kreukel er een kikkerbek van.

Een drog. Stella vouwde een drog van zichzelf.

Zo sluw. Zo honderd procent Stella.

O, hij ziet het helemaal voor zich! De jagers stuiven brullend haar kantoor binnen en Stella springt in paniek naar buiten. De jagers hollen natuurlijk naar de vensterbank, turen geschokt omlaag. Ze wilden haar gevangennemen, niet vermoorden.

Wat de echte Stella meer dan genoeg tijd geeft om stilletjes achter hun rug weg te glippen.

'Stella is niet op haar kantoor?' Bannink staat in de deuropening.

'Nee, ze is gevlucht. Ze moet ergens anders in het gebouw zijn.'

De oceaan in een jampot

'Hopfaldera,' zingt een luide stem, 'de pakjespolka!'
Bannink rukt het zingende mobieltje uit de zak van zijn overall. Zijn oren kleuren bietenrood. 'Dat zijn Bert en Ernie. Die heb ik er, eh, voor mijn zoontje opgezet. Mijn zoontje, ja.'
'Aha.' Banninks zoontje is achttien en een Hells Angel, weet Neil. Weinig kans dat hij om Bert en Ernie verzocht heeft.
'Met Bannink. Wat, Donna? Wat?'
Donna's stem kwettert als een overspannen kanarie.
'We komen meteen.' Hij draait zich naar de kinderen.
'Stella sprintte juist door de hoofdingang naar binnen. "Hou ze tegen!" riep ze. "Bel de bewaking!" '
Ze riep, denkt Neil. Geen drog dus. Droggen kunnen niet spreken. Het moet de echte Stella zijn geweest.
Bannink brengt zijn mobieltje opnieuw bij zijn mond.
'Donna? Sluit de deur af en zet het alarmsysteem aan. Heb je Rennes al gebeld? Doe dat dan, slome slak!'

In de lift barst Ernie opnieuw in luid gezang uit. 'Wat, Donna? Jij en techniek ook! Maar Rennes komt eraan met de andere bewakers? Blijf aan de lijn.'
'Ze zijn binnen,' zegt Bannink. 'Twee figuren met gebor-

duurde kaplaarzen en blond haar. Donna beweert dat ze alles vergrendeld had. Die lui liepen doodleuk door de schuifdeuren naar binnen.'

'Geen hond?' vraagt Neil meteen. 'Zo klein als een poedel.'

'Hadden ze een hond bij zich?' Hij schudt zijn hoofd. 'Donna zegt van niet.'

'Vraag waar Stella heen rende,' zegt Dagmar.

'Hoorde je dat, Donna? Ah. Links dat is naar de binnenplaats. En die mannen? Ook? Shit.'

De liftdeuren schuiven open.

'Door het magazijn!' beveelt Bannink. 'Dat is de kortste weg.'

De binnenplaats is geen reclame voor het bedrijf: weinig meer dan een stortplaats vol oud roest. Stronk & Van Hesperen Machinebouw is wettelijk verplicht versleten machines van klanten over te nemen. Eigenlijk horen ze de machines vervolgens te recyclen, maar daar komt zelden iets van.

'Bannink!'

Stella balanceert boven op een piramide van olievaten. Een van de jagers is tot halverwege omhooggeklommen.

Bannink zet zijn handen aan zijn lippen. 'Ik zie je Stella! Zoeken die jochies stennis?'

'Die ene kan ik alleen wel af.' Ze houdt een staaf betonijzer op en wijst dan naar de klauterende jager. 'Een klahpie tegen het koppie. Maar misschien kan je een knopie in shijn maat leggen?'

Het klinkt alsof ze er een lolletje van maken, denkt Neil. En Stella's plat-Utrechts lijkt werkelijk nergens op.

Prima. Laat de grote mensen het maar oplossen. Als er tien jagers waren zou ik nog op Bannink en zijn moersleutel inzetten.

De tweede jager stapt achter de getande schepbak van een graafmachine vandaan.

'Doorlopen kan ernstige schade aan uw gezondheid veroorzaken,' zegt de man. 'Zoals de strandvoogd tegen de kokkelsteekster zei. Toen zij op het drijfzand wilde stappen.'

'Zak effe een kievitsei op je knar toveren?' Bannink zwaait zijn moersleutel boven zijn hoofd rond en stormt naar voren.

'Och, je kunt het altijd proberen.' De jager reikt in zijn regenjas en houdt een munt aan een kettinkje omhoog.

'Zoek mij niet links,' galmt hij. 'Niet rechts, niet hier, nooit hier. Overal... elders.'

De jager verdwijnt als een uitgeblazen kaarsvlam: een gekantelde turbine verspert Bannink plotseling de weg. De machine is minstens vijf meter lang en meer dan manshoog.

'Wablief?' Bannink krabt ongelovig aan de roestkorsten van de turbine, schopt tegen een bobbelige bout. 'Hoe?'

'Leg ik nog wel uit.' Neil trekt aan zijn arm. 'Misschien kunnen we eromheen?'

Ze stommelen langs de turbine die zich bij elke stap verder lijkt te verlengen.

'Kijk uit!' gilt Dagmar. Een drietal koelkasten schuift uit het niets te voorschijn en nu kunnen ze enkel nog achteruit. Het gangpad tussen de ijskasten is zo nauw dat je er hoogstens zijdelings in kunt schuiven.

'Neil!' Stella's stem komt uit vier richtingen tegelijk. 'Prester gebruikt zijn doolhofamulet tegen jullie! Hou het mijne omhoog. Dan is hij nergens meer. Dat je de munt aanraakt, maakt niks meer uit. Ze hebben me toch al gevonden.'

'Ik heb het niet meer,' zegt Neil. 'Mijn schuld. Ons enige echte wapen en ik heb het laten jatten.'

'Luider! Ik kan je niet verstaan.'

'Twee jongens op een scooter, Stella. Ze rukten het uit mijn hand!'

'Vervelend.'

De turbine siddert, wipt opzij en staat plotseling twintig meter naar links. Van de koelkasten ontbreekt zelfs ieder spoor.

'Nou ja.' Op de piramide gooit Stella haar ijzeren staaf van de ene hand naar de ander. 'Dan moet ik hier maar op vertrouwen.' Ze lacht en haar stem klinkt wild en vrij. Zorgeloos. Alsof Stella hiervan geniet. 'Prester? Tebbe? Broertjes, weten jullie nog? Toen jullie me in de palingvijver wilden jonassen? Geloven jullie heus dat jullie sindsdien beter hebben leren knokken?'

Je moeder is je moeder, je anker, het allernormaalste wezen in de wereld. Voor het eerst begrijpt Neil dat Stella veel meer is. Ze is de geheimzinnige vreemdelinge met de magische krachten, de prinses uit een land dat op geen Aardse kaart te vinden is.

'Waar blijven jullie?' daagt Stella haar broers uit.

Prester heeft zijn amulet uitgeschakeld, denkt Neil. Waarom? Hij had Bannink in zijn doolhof gevangen en Bannink was hun gevaarlijkste tegenstander.

Wacht, Stella gebruikte het amulet toen bij de school op een volkomen andere manier. Ze liet ze niet verdwalen, nee, ze maakte zichzelf onzichtbaar voor de jagers.

'Stella!' gilt hij. 'Prester is je aan het besluipen!'

De tweede jager stolt vlak achter Stella uit de lege lucht. Prester rukt de staaf uit Stella's hand en slingert hem de binnenplaats op. Tebbe krabbelt op hetzelfde moment over de rand en slaat een arm om Stella's nek.

'Keer, diep getij!' roept Prester. Hij rukt een glazen jampot uit zijn regenjas en smijt hem omlaag.

De jampot spat aan de voet van de piramide uiteen en een

golf water klotst over de keien. Een onmogelijke hoeveelheid: meer water dan een tankwagen kan bevatten, laat staan een jampotje.

Net als het poeltje, gaat het door Neil heen. Prester heeft zijn eigen oceaan naar onze wereld geroepen. De zee van de Duizend Eilanden.

En dan is er geen binnenplaats met afgedankte machines meer, geen vale fabrieksmuren.

De deinende zee trekt zich terug en haar eb sleurt de jagers en Stella mee.

Neil kijkt uit over een vlakte waarvan de horizon eindeloos ver weg lijkt te liggen. Een reusachtige, drooggevallen Waddenzee is het, wijder dan provincies. Ivoren bomen drijven hun luchtwortels diep het slik in. De hemel is een wiel van cirkelende meeuwen.

Aan de horizon rijst een schemerige toren op, zo hoog dat wolken tot halverwege haar wanden drijven. Haar muren golven traag in de wind.

'De Kathedraal van Schokland.' Dagmars stem klinkt hees van verwondering. 'Van het eerste eiland dat uit de zee oprees.'

Neil knikt woordeloos. Hij herinnert zich hetzelfde sprookje van Stella.

Stella!

Honderd meter verder rollen drie figuurtjes worstelend over een mosselbank. In die uitgestrektheid zijn ze bijna te nietig om opgemerkt te worden.

'We moeten haar helpen!' Hij stapt naar voren en zijn schoen zakt tot zijn enkel in het slijk weg.

Duisternis rolt aan: het is alsof hij naar een prachtige illustratie kijkt en iemand het boek vlak voor zijn gezicht dichtslaat.

De bakstenen muren knallen terug, de piramide van olievaten.

'Stella!' gilt hij. 'Mamma!'

'Wie is Stella?' vraagt Bannink. Hij kijkt omlaag naar de massieve moersleutel in zijn hand. Alsof hij het gewicht nu pas opmerkt. 'Ik ken geen Stella.'

Hij neemt Dagmar en Neil van top tot teen op en wat hij daar ziet schijnt hem niet bijster te bevallen. 'Mag ik vragen wat jullie hier uitspoken?'

Meneer Rennes sprint met twee van zijn bewakers de binnenplaats op.

'Donna waarschuwde me dat er twee insluipers waren. Ik zie dat je ze al bij de kraag hebt gevat.'

Bannink grijpt Neil en Dagmar elk bij een pols en sleurt ze tegenstribbelend en protesterend naar de uitgang. 'Als de wiedeweerga naar buiten jullie. Wees blij dat we de politie niet bellen.'

Ik wil geen woord over
die vrouw horen

'Bannink herkende ons niet meer,' zegt Dagmar. 'Ze hadden geen flauw idee wie we waren!' Ze werpt een blik op de fabriek. De man van de beveiliging staat nog steeds in de deuropening, zijn armen over elkaar. Het is duidelijk dat ze daar niet langer welkom zijn.

'Bannink vergat Stella zodra ze verdwenen was,' zegt Neil. 'En ons daarom ook. Wij zijn haar kinderen. Stella's kinderen.'

'We moeten pappa waarschuwen,' zegt Dagmar. 'Hem vertellen dat, dat...' Ze kan de zin niet afmaken.

'Ja.'

'Stap op. Ik rij naar zijn kantoor.'

'Wat een verrassing, lui.' Richard komt glimlachend uit zijn draaistoel overeind. 'Waaraan dank ik de eer van jullie bezoek? Konden jullie mij zelfs geen middagje missen?'

'Richard,' zegt Neil. 'We moeten je iets vertellen. Iets vreselijks. Er was een man die naar Stella...'

'Stop!' zegt Richard. 'Ik had jullie wat gevraagd, meen ik me te herinneren?' Alle warmte is uit zijn stem verdwenen. Gevraagd? Waar heeft Richard het over? 'Wat gevraagd?'

'Niet meer over haar te praten. Nooit meer.' Hij klemt zijn

kaken zo krampachtig op elkaar dat Neil zijn kiezen over elkaar hoort knarsen.

Richard ploft op zijn bureaustoel terug. 'Sorry,' zegt hij, 'sorry. Kijk, ik ben natuurlijk dolblij met jullie. Maar zij, die vrouw...'

'Stella,' zegt Dagmar afgemeten.

'Ja, je kunt haar onmogelijk een goede moeder noemen. Vertrok zonder zelfs maar een briefje achter te laten. Ik bedoel, dat is toch een kleine moeite? Zoiets van: Sorry Richard, maar ik hou niet meer van je en ga terug naar Kazachstan. Ze liet me in mijn eentje achter met een kleuter en een baby van twee maanden!'

Hij is alles vergeten, denkt Neil. Al die jaren sinds mijn geboorte. Hij gelooft dat Stella hem in de steek heeft gelaten. 'Misschien kunnen jullie beter naar huis gaan? Ik weet niet wat jullie kwamen vertellen.'

'Ja, naar huis,' zegt Dagmar. 'Kom, Neil.'

'Zag je de vergroting achter zijn bureau?' zegt Neil. 'Het was van mijn vijfde verjaardag. We gingen met pappa en mamma naar de Efteling. Ik zat op Stella's nek.'

'Ja, dat viel me ook op,' zegt Dagmar. 'Je houdt nu de hand van oma Annemarth vast. Geen Stella om mee te gaan naar het pretpark. Pappa moest twee kinderen in zijn eentje opvoeden.'

'Ze siepelt weg. Er blijft niks van haar over!'

Dagmar slaat een arm om zijn schouder. 'We vinden haar. We halen Stella terug.'

Het avondeten is zo goed als oneetbaar. Richard heeft nooit fatsoenlijk leren koken en in deze Stellaloze wereld kan hij het nog steeds niet.

Neil inspecteert zijn opgeschepte bord met stijgende verbazing. Hoe kun je macaroni in hemelsnaam laten aanbakken? Macaroni kook je toch? En wat is er voor ingewikkelds aan het frituren van een frikadel?

Halverwege schuift hij zijn bord opzij. 'Ik begin vast aan mijn huiswerk, pappa. Ik moet nog een hele bups.'

'Ga je gang.' Richard kijkt niet eens op. Hij zit onderuitgezakt op de bank naar drie Arabisch zingende dames te staren. Neil betwijfelt of zijn vader weet welk programma hij aangezet heeft.

Vroeger mocht de tv niet eens aan tijdens het eten, denkt hij. 'Veel te ongezellig,' was Stella's stellige mening. 'Bij het eten horen we elkaar diep in de ogen te kijken en spannende zaken te vertellen.'

'Ik ruim wel af,' stelt Dagmar vrijwillig voor en dan weet Neil dat het nooit meer goed zal komen. Nooit meer.

Neil steekt zijn zwetende voeten onder het dekbed uit, schudt overdreven zuchtend zijn kussen op.

Hij is doodmoe, maar de slaap blijft hem ontglippen.

Het huis is te stil. Dat is het. Normaal zet Stella de cd-speler behoorlijk hard aan zodra ze haar kinderen naar hun kamers heeft weten te verbannen. Mongoolse opera's vol gehinnik en hoefslag. Sardijnse boeren met stemmen als verkouden ijsberen. 'Opgehoepeld! Nu is het Stella en Richard tijd!'

Neil sluipt de gang op en blijft een volle twee minuten voor Dagmars deur talmen. Het is zo stom, zo kinderachtig! Neil raapt al zijn moed bij elkaar en klopt op Dagmars deur. 'Mag ik bij jou komen slapen? Ik heb mijn dekbed bij me.'

'Natuurlijk.' Dagmar zit rechtop in haar bed en haar leeslamp is nog aan. 'Ik voel me ook rottig. Zo eenzaam.' Ze reikt onder haar bed. 'Hier moet nog een kampeermatrasje liggen. Van toen Hermine bij me bleef logeren.'

Ze laten Dagmars oude nachtlampje aan als een troostend lichtvlekje in het donker. De plastic paddestoel is zo verbleekt dat hij eerder roze dan rood met witte stippen is.

Neil probeert Stella's gezicht terug te halen. De omtrekken blijven alarmerend vaag: een losse mond, een neus.

'Dagmar? Ik ben zo bang. Ik denk...'

'Wat?'

'Dat ik Stella ook aan het vergeten ben! Net als Richard.' Hij balt zijn vuisten. 'Ik bedoel: wat was de kleur van haar ogen? Wat voor jas droeg ze vanochtend? Alles zakt weg!'

Dagmar grinnikt in het halfduister en dat is wel de laatste reactie die Neil verwacht had. 'Je zit jezelf vreselijk op te naaien, broertje. Het valt vast wel mee.' Ze draait haar hoofd. 'Volgens mij letten jongens nooit op zulke dingen. Vertel me: wat is de kleur van míjn ogen? Van pappa's ogen? Wat droeg ik vanochtend voor kleren?'

Neil zinkt terug op de dunne opblaasmatras. 'Je hebt gelijk.'

'Probeer te slapen. Morgen gaan we haar zoeken.'

'Ze is verdwenen! Weg. De jagers sleurden Stella mee naar de Duizend Eilanden. We hebben geen flauw idee hoe we daar moeten komen!'

'Iemand anders beslist wel. Er waren drie jagers, weet je nog? Twee ontvoerden Stella. Maar de derde. Die met zwart haar en die rare rat vroeg of je wist waar Stella te vinden was. Terwijl de anderen haar al lang en breed gevonden hadden.'

'Denk je dat ze niet bij elkaar hoorden?'

'Ik hoop van harte dat het doodsvijanden zijn. Misschien wil de derde jager ons dan helpen.'

De derde jager

Het ontbijt is op zijn zachtst gezegd ongezellig. Niemand komt veel verder dan 'Ja' en 'Nee' of 'Mag ik de suikerklontjes?'

Richard vertrekt ruim een halfuur vroeger dan anders. Neil slaakt een zucht van verlichting als hij de keukendeur hoort dichtvallen.

'Zag je hoe hij ons vanachter zijn krant begluurde? Ik werd er bloednerveus van.'

'Ja, alsof hij zich afvroeg wie wij eigenlijk waren. Die twee vreemde kinderen aan zijn keukentafel.'

'In het wilde weg zoeken heeft weinig zin,' zegt Dagmar als ze hun fietsen naar voren rijden. 'De stad is te groot. Jij hebt hem jammer genoeg wijsgemaakt dat Stella in ieder geval niet in onze straat woont.'

'Dat kon ik toch niet weten?'

'Komt wel goed. Zeg, ik heb naar mijn school gebeld dat ik ziek was. Doodziek.' Ze giechelt. 'Overgeven en zo groen als spinazie. Jij gaat gewoon naar je klas. Die rat heeft je daar al een keer gevonden. Hopelijk komt ze weer langs.'

'En jij dan?'

'Ik wacht buiten. In het rozenparkje.'

'Ken jij dat Stella-liedje nog?' vraagt Dagmar als ze de Wiebout van Luychtenlaan in rijden. 'Waar de branding op zilte zeekraalweiden slaat?'

'En de malse lamsoor bloeit? Ja.'

'Zing het zo luid mogelijk. Andere mensen denken vast dat we niet goed bij ons hoofd zijn. Doet er niet toe. Misschien hoort de jager het.'

Neil zingt eerst zachtjes mee. Amper harder dan gefluister en met een pioenrood hoofd.

Ik moet me niet aanstellen. Het gaat om mamma. Met zielig gefluister krijg ik Stella niet terug.

Als Dagmar opnieuw losbarst, zingt hij uit volle borst, en behoorlijk vals, mee.

'Waar de branding
over zilte zeekraalweiden bruist
en de malse lamsoor bloeit,
daar tel ik mijn eilanden
als een herdershaai
zijn spartelende koeienschool.'

Ze zingen het refrein twee keer:
O, eeuwig eilandrijk
in een zee
zo ziedend blauw.
Kus me met je hete lippen
en noem ons man en vrouw!'

Een aantal voorbijgangers kijkt hen inderdaad bevreemd na. Ze zijn in de minderheid: mensen zijn wel lawaaiiger scholieren gewend.

'Waar van trotse terpen,' brult Neil, 'Fryslans...'

'Vrijheidstrommel roffelt,' valt een derde stem in.

'en geen pekelzoon laffe dijken bouwt.'

Als ze voor hem stoppen heft de jager traag een hand op en tikt de punt van zijn neus aan.

Een Eilander. Stella maakte soms hetzelfde gebaar. Als ze even vergat dat je in Nederland handen hoort te schudden of klapzoenen moet uitdelen.

'Jullie zochten mij?'

De ogen van de jager zijn grijs en bijna doorschijnend. Ja, net als die van Stella. Hij voelt een steekje van vreugde: ik heb Stella's ogen terug! Haar irissen waren stormachtige-zee-grijs.

'Jij hebt haar neus,' zegt de jager tegen Neil terwijl hij hem van top tot teen bekijkt. Hij strekt een hand uit en raakt Dagmars krullen aan. 'De kleur van je haar, meisje. Meeuwenwit als alle Scheepsgarths. Al golft het bij niemand anders van ons.'

Ons.

'Ben je familie van Stella?' vraagt Neil.

'Haar jongste broer. Gisbrandt Scheepsgarth. Stella was mijn favoriete zus.' Hij zet zijn handen in zijn zij, buigt zich naar hen toe. 'Waar is jullie moeder? Ik moet Stella dringend spreken. Haar waarschuwen. Haar beschermen. Vier keer droomde ik van haar en ze smeekte om hulp.'

'Je bent een beetje te laat om Stella te beschermen, Gisbrandt Scheepsgarth,' zegt Dagmar. 'Twee jagers ontvoerden haar gisteren. Ze sleurden haar de Duizend Eilanden in.'

'Prester,' zegt Neil. 'Stella noemde ze Prester en Tebbe.'

'Mijn andere broers. Ah, moge tienduizend albatrossen in hun open monden poepen! Negen jaar geleden stuurde onze vader ze het Geketende Land in om Stella te zoeken. Ik wist niet dat zij nog steeds naar haar op jacht waren.'

'Haar eigen broers dus,' zegt Dagmar. 'Shit. Van je familie moet je het maar hebben.'

'Reken het mijn broers niet te zwaar aan. Veel te kiezen hadden ze niet. Onze vader hing een bitter anker om hun nek, begrijp je? Prester en Tebbe mochten geen vrouw aanraken. Nog niet eens de vingertoppen van een meisje kussen. Tot ze hun zuster naar haar toren teruggebracht hadden.'

'Nooit kussen?' zegt Dagmar en Neil ziet dat ze het ook een zware straf zou vinden. Niemand mogen kussen: Dagmar heeft zelden minder dan drie vriendjes tegelijk. En die vriendjes kussen heel wat meer dan Dagmars vingertoppen.

'Waar is je rat?' vraagt Neil. Kussen is geen onderwerp waarop hij graag wil doorgaan. 'Je blodling?'

'Stella heeft weinig geheimgehouden zie ik. In de struiken.' Hij laat zijn knokkels knakken: een steels geritsel uit de ligusterheg is het antwoord.

'Handen schudden en omhelzen kan later,' zegt Gisbrandt. 'Ik heb een boot nodig als we mijn broers willen volgen. Op dertien kilometer van de kust in diep water stappen is vaak onverstandig. Waar schaf ik hier iets drijvends aan, nicht en neef?'

'Aan de Kromme Rijn ligt een haventje,' zegt Neil. 'Daar verhuren ze kano's.'

'Dit is eh, enigszins ongebruikelijk, meneer.' De verhuurder weegt Gisbrandts munten op zijn hand. 'Ziet er als goud uit,' mompelt hij. 'Lijkt me ook zwaar genoeg.'

'In Kazachstan wij niet doen euro,' deelt Gisbrandt mee met een accent als een roestige zaag. 'Goud is eerlijk.'

Kazachstan is beslist populair bij Eilanders, denkt Neil. Stella loog ook al dat ze daarvandaan gevlucht was. Gisbrandt moet dat brabbeltaaltje alleen niet overdrijven.

'Maar stel dat u nu niet terugkomt? Ik bedoel, ik zeg niet dát...'

Gisbrandt stapelt nog drie goudstukken in de handpalm van de man en sluit de vingers. 'Dan jij goud houden. Dit waard meer dan wiebelwapbootje.'

'Eh ja. Prima! Prima. Zoek een mooie kano uit.'

Het is het betere zomerweer: mistig blauwe hemel, een bescheiden briesje, leeuwerik of zes.

Neil ontspant zich voor de eerste keer sinds dagen en leunt achterover tegen zijn zitje. Handen in je nek, de zon op je gezicht: heerlijk.

'Zo te zien zijn we de enige klanten vandaag.'

Gisbrandt wuift een horzel weg en bestudeert de langsschuivende oevers. 'Zoveel land en zo weinig water. Kwettervogels en genoeg stuifmeel om tranen uit je ogen te trekken. Nee, kinderen, ik zou nooit in het Geketende Land kunnen wonen.'

'Noemen jullie Nederland zo?' vraagt Dagmar. 'Het Geketende Land? Het klinkt een beetje als een scheldwoord.'

'Dat is het ook. Jullie bouwen dijken. Jullie duwen de heilige Moeder Zee tot ver achter de horizon.' Hij geeft een klap op het water. 'Deze rivier hier. Water zo zoet dat je het bijkans kunt drinken. Geen Fryslaner kan vrij ademen zonder pekel op zijn lippen te proeven!'

'In Nederland zijn we anders juist trots op onze dijken,' zegt Neil. Wat een gezeur! Bovendien, Nederland afkraken mogen alleen Nederlanders. Daar zijn we zelf behoorlijk goed in.

Gisbrandt snuift. 'Weet je wat wij Fryslaners doen als we zo'n dijkenpoeper met een schep in zijn hand betrappen?'

'Hangen we op aan de hoogste magroveboom, Gis Brandt,'

zegt de blodling opgewekt. 'Aan een stevig touw van mosselbaard.'

'Precies,' zegt Gisbrandt. Hij krabt de rat achter haar oren. 'Al is ophangen eigenlijk te goed voor dijkenpoepers.'

Zodra het kerktorentje van Bunnik boven de bomen uitwipt, springt de blodling van Gisbrandts schouder op de voorplecht. Ze heft haar gezichtje op, waarvan elke trek zo pijnlijk aan Stella herinnert, en snuffelt. 'Hier.' Ze wijst recht omlaag. 'De muren tussen de werelden zijn dun hier. Dun als vliesijs op een winterpoel, Gis Brandt. En de vloed, de vloed staat hoog.'

Gisbrandt steekt zijn peddel in het water, brengt de kano tot stilstand. De Eilander vist een tweetal koperen veldflesjes uit zijn heuptas en geeft de kleinste aan Neil.

'Vul hem in de rivier en draai de dop er stevig op. Het is jullie enige weg terug.'

Zodra Neil het flesje gevuld heeft, giet Gisbrandt de tweede in de rivier uit.

'Zet je schrap, jongmaatje en joffer. Dit kon wel eens een woeste rit worden. Zoals de kralenmaaier kraaide toen hij peper in het ademgat van de orka schudde.'

Neil buigt zich over de rand van de kano. Zouden de kringen net als bij de kampeerpoel wegrimpelen tot ze breder dan de rivier zelf worden? En vervolgens in bruisende golven veranderen?

'Keer, diep getij, keer,' mompelt Stella's broer. 'En meer van die onzin.'

Een bulderende windstoot smakt als een zompig kussen in Neils gezicht. In een hartenklop verschiet de hemel van bleekblauw tot kolkend grijs.

'Gaan we!' roept Gisbrandt.

Er zijn geen rivier en groene weiden meer, geen Nederland, geen zomer. Neil draait zijn hoofd naar links, naar rechts, op het randje van paniek. Nergens een horizon, geen spoor van land. Enkel stuivend schuim en deinend water.

'Kijk uit!' gilt Dagmar. Een aanstormende golf tilt de kano zo snel op dat Neils maag in zijn knieën achterblijft. Hun kano tolt drie keer om zijn as en ze smakken in een golfdal neer. IJskoud water klotst over Neils schoot.

'Ah, thuis!' juicht Gisbrandt. 'Er gaat niets boven een plens eerlijke pekelzee om je welkom te heten!'

De tweede golf rukt de peddel uit zijn handen. 'Hoewel je ook kunt overdrijven.'

Kunststof kano's zijn niet bijster stabiel en al helemaal niet bedoeld om met windkracht acht de volle zee op te peddelen.

De derde golf smijt de kano om en Neil hangt plotseling ondersteboven in een grijze schemering. Luchtbellen zigzaggen omhoog.

Zuurstof! Ik stik!

Terugdraaien. We moeten de kano terugdraaien.

Hij klauwt met zijn armen door water als ijzige stroop.

Volhouden. Zwem omhoog maar zorg dat je benen in de kano blijven haken. Zonder kano halen we de kust nooit.

Traag, zo hartverscheurend traag draait de kano een halve slag verder door.

Neils hoofd breekt druipend door de waterspiegel. Nu het water hem over de wangen stroomt, lijkt de wind kouder dan ooit, een poolwind. Elke stoot raspt over zijn verstijfde wangen. Elke hap lucht is een mondvol ijsnaaldjes.

Neil slaat zijn armen om zich heen en duikt in elkaar. Zijn tanden klapperen. Na de eerste ratel is het onmogelijk te stoppen.

'Verfrissend.' Gisbrandt schudt zijn hoofd als een natte keeshond: de druppels sproeien uit zijn haren. 'Al hoop ik niet dat we onderkoeld raken. Bij deze watertemperatuur maak je het zelden langer dan een kwartier.'

'Gisbrandt!' Dagmars arm komt stijf omhoog en priemt naar voren. 'Daar!'

Een bleke rugvin snijdt door het water. De rugvin is zeker anderhalve meter hoog. Neil ziet het kolossale lijf onderwater schemeren: drie keer zo lang als de kano.

'Een witte haai,' zegt Gisbrandt. 'Boffen wij even! Verdrinken is zo ordinair.'

De beet van de haai

De haai draait zich op zijn rug. Vlijmscherpe kettingzaagtanden steken schots en scheef uit zijn muil.

'Weg!' hoort Neil zichzelf piepen met het stemmetje van een muis die een veel te groot brok kaas probeert door te slikken. 'Ga weg!' Hij deinst achteruit en knalt met zijn kruin tegen Gisbrandts kin. 'Laat ons met rust!' piept dat belachelijk hoge stemmetje.

Een reeks doffe ploppen: de haai heeft zich in de punt van de kano vastgebeten.

Neil zit versteend in de kano. Hij durft geen vin te verroeren, amper adem te halen.

Zo dichtbij. Zo afschuwelijk dichtbij. Ik hoef mijn arm maar uit te strekken om die walgelijk bleke snuit aan te tikken. De huid is ruw als schuurpapier, elk puntje een glinsterende miniatuurtand.

De stank van rotte schollen en bedorven zeehondenbloed walmt over de kano als de haai opnieuw toehapt om een betere greep te krijgen. Neil kokhalst.

Zijn tweede hap word ik, denkt hij. Wat stom, wat belachelijk om als vissenvoer te eindigen. Niet eens een fatsoenlijk maal. Voor zo'n monsterhaai ben ik niet meer dan een snack.

74

'Zet hem op!' juicht Gisbrandt. 'Zo mag ik het zien, brave jongen!'

Brave jongen? Gisbrandt is krankzinnig geworden. Lijp als drie deuren.

De haai geeft zo'n krachtige slag met zijn staart dat het schuim hen om de oren stuift. De kano schiet prompt naar achteren. De achtersteven speert een golftop en suist vervolgens in het golfdal omlaag.

'De haai,' zegt Dagmar ongelovig, 'hij duwt ons!'

'Zeker,' zegt Gisbrandt, 'en wel naar de dichtstbijzijnde haven. Onze herdershaaien werden afgericht om drenkelingen te redden.' Hij grinnikt. 'Al vermoed ik dat ze er zo nu en dan eentje oppeuzelen. Stiekem. Als er verder niemand in de buurt is om het door te vertellen.'

'De wind,' zegt Neil. 'Hij is aan het zakken.'

Het trillen van zijn kaak maakt zijn woorden zo goed als onverstaanbaar. Om te zeggen dat Neil het koud heeft, is als beweren dat er aardig wat zand in de Sahara ligt. Neils armen en benen zouden net zo goed aan een sneeuwpop vast kunnen zitten. Er bungelen ijspegels aan zijn neus en zijn oorlelletjes. Hij kan ze weliswaar niet zien, maar zo voelt het beslist.

'Golven minder hoog,' zegt de blodling, die zich rillend tegen Neils borst drukt. 'Een beetje minder hoog, Neil. Misschien. Hoop ik.'

Het diertje ziet er werkelijk afschuwelijk uit. Blauwgrijze lippen en haar wimpers zitten dichtgekit door het zout. De kletsnatte vacht kleeft zo dicht tegen haar lijf dat Neil de ribben kan tellen.

Zij lijkt meer dan ooit op Stella. Een miniatuur-Stella.

Kleine zuster, zo noemde Gisbrandt haar. Ja, zo zou mijn

eigen zusje eruitgezien hebben. Als ik een klein zusje had gehad.

Hij slaat zijn armen beschermend om haar heen.

'Ja, de golven zijn minder hoog, kleine zuster,' fluistert Neil in haar harige oor. 'Ik weet het zeker.'

De witte haai zwemt gestaag door. Het had een machine kunnen zijn, zo regelmatig zwiept zijn staart, zo onvermoeibaar roeien zijn zijvinnen.

'Tricht.' Gisbrandt stem klinkt als een verbaasde gak. Hij schraapt zijn keel. 'Trichterhaven, kinderen. De zee zal nog een paar jaar op onze botten moeten wachten.'

Een houten uitkijktoren glipt boven de golven uit. Haar vlaggen klapperen in de wind. De wieken van haar glazen molens draaien zo snel rond dat hun schijven wiebelende mist lijken.

De storm zakt af tot een stevige bries als de haai de kano de haven binnenduwt.

Boven de drenkelingen breekt de hemel open. Een bundel zonlicht strijkt over de steigers, de schepen. Overal fonkelen de rompen op.

De Duizend Eilanden, denkt Neil. Waar alle schepen van goud zijn en witte haaien de zeekoeien hoeden. Alles klopt. Vreemd genoeg voelt deze haven absoluut niet vreemd, niet buitenlands. Eerder vertrouwd.

Alsof ik thuiskom, denkt Neil. Alsof ik eindelijk thuiskom.

Het café aan de haven

Een woud van masten wiebelt op het water. Trichterhaven zelf ligt een halve kilometer verder. Een stad, maar beslist niet op het land. Neils blik glijdt over een wirwar van steigers, hardhouten herenhuizen op stevige, zwartgeteerde palen, drijvende draaibruggen. Overal, overal die fonkelende scheepsrompen. Zelfs de zeilen van half lekke sloepen zijn versierd met gouddraad.

'Gisbrandt, waarom maakten jullie al jullie schepen eigenlijk van goud?'

'Waar zou je je romp anders van willen bouwen, jongmaatje? Hout soms? Verdraaid slecht idee. Daar doe je hoogstens de boorwormen een plezier mee. IJzer is zo mogelijk nog beroerder. Smelt onder je kont weg als een suikerklontje in kruidenthee. Zoals de pinguïn tegen de ijsbeer klaagde toen ze op hun schots naar Afrika voeren.' Gisbrandt knipoogt. 'Dat zijn al twee goede redenen. Er is een derde, een betere. De Duizend Eilanden zijn rijk en machtig weet je. Dat mogen andere volkeren best aan onze schepen zien.'

De haai bonkt de kano tegen een schommelende kade en glipt het groene water in. Neil kijkt de rugvin na tot hij achter een boot met stenen pijpen verdwijnt.

Gered door een haai. In zijn eigen wereld zou zoiets een drenkeling niet snel overkomen.

'Ik verken,' deelt de blodling mee. 'Want over ratten kijkt iedereen heen. Jullie: blijf stokjestijf in de boot plakken en hou je kop laag.'

Ze klinkt even bazig als Stella, denkt Neil.

De blodling roetsjt een met eendenmossels begroeide meerpaal op, steekt haar omvangrijke neus in de lucht.

'Nergens de geur van een Scheepsgarth, Gis Brandt. Behalve jullie dan. Je broers zijn hier niet aan land gegaan.'

'De reuk van een blodling is bijzonder scherp,' legt Gisbrandt uit. 'Zij kan de nestgeur van haar familie op twee kilometer afstand ruiken.'

'Ook geen grote zuster,' voegt de blodling toe. 'Eilaas, eilaas.'

'Zin in een kop chocolatl met extra veel kruidnagelen?' vraagt Gisbrandt. 'Oorlamhuis de Jolige Strandjutter is vlakbij.'

'Chocolatl met kruidnagelen klinkt zeldzaam smerig,' zegt Neil. 'Maar wel heet. Graag.'

De chocolatldrank is tenenkrommend bitter en heet, heet! Elke slok brandt als lava door Neils keel. Het stookt een bubbelend vuurtje op de bodem van zijn maag. Precies wat een verkleumde drenkeling nodig heeft.

Zodra zijn tanden niet langer tegen de rand van de kroes ratelen, kijkt hij de gelagkamer van de Jolige Jutter rond.

Oorlamhuis betekent hier blijkbaar kroeg. Langs de muren hangen tenminste eikenhouten vaten met bier en jenever. De gasten kunnen hun bekers persoonlijk vol tappen.

Geen boxen aan de muur: alle muziek komt van een opwindpop, die een trekharmonica bespeelt. Zodra de muziek vertraagt, komt een grijsaard overeind. Hij geeft de grote koperen sleutel in het voorhoofd van de pop een paar slagen en schuifelt terug naar zijn tafeltje. De houten piraat bonkt drie keer met zijn houten been op de vloer en barst in een nieuw zeemanslied uit.

'Het matrozenleven,
jongmaatje mijn,
zo sprak Dirks oude moeder,
is vol windrig leed
en eindigt al snel
in een waterig graf!
O zeun, ploeg liever
de eerlijke klei
en nimmer nooit de baren!'

Gisbrandt kent het lied blijkbaar van buiten. Hij en de blodling brullen tenminste uit volle borst mee met het refrein.

'Had toch naar je moe geluisterd,
Ja jij aartsdom joch!
Nu is het te laat voor spijt.
Te laat, te laat en veel te laat.
De meeuwen knikkeren met je ogen
en bouwen een nest
van jouw gebleekte botten!'

Een beetje grimmig klinkt het allemaal wel, denkt Neil. Het had over ons kunnen gaan. Zonder die hulpvaardige haai knikkerden de meeuwen intussen inderdaad met onze ogen.

Gisbrandt knakt zijn knokkels zo luid dat het boven de muziek uitklinkt. De kroegbaas mikt zijn sopdoek op de toonbank en sloft hun kant uit.

'Nog een beker hete koeienpis, Gis?'

'Een landkaart graag, Gerrald. Ik wil de joffer en het jongmaatje hier een pietsel wegwijs maken.'

'Familie?'

'Neef en nicht.'

'De Scheepsgarths zijn even talrijk als ratten op een klipperschip. Je kunt geen voet neerzetten of ze bijten in je teen.'

Hoewel het een belediging lijkt, klinkt er toch een zekere bewondering in Gerralds stem door.

'Er is niks mis met ratten,' zegt de blodling.

Allebei de mannen barsten in lachen uit.

'Krek zo, kleine zuster,' zegt Gerrald. 'Ik zal jullie onze kist met vaarkaarten brengen.'

De kist is eerder een kistje, niet veel groter dan een vingerhoedje. Gisbrandt peutert de deksel met een tandenstoker open. De kaart die hij uiteindelijk selecteert, heeft het formaat van een postzegel.

'Beetje petieterig,' zegt Dagmar, 'daar hebben we een vergrootglas bij nodig. Een behoorlijk sterk ook.'

'Geduld, joffer.' Met twee tandenstokers vouwt Gisbrandt de kaart open. Na de zesde keer uitvouwen is de kaart al zo breed als een bierviltje en kan Gisbrandt zijn vingers gebruiken.

De kaart klapt verder uit: zo groot als een menu, sla open, een krant, sla open, het hele tafelblad.

'Het is Stella's truc,' zegt Neil. 'Ze kon een papiertje ook eindeloos uitvouwen.'

'Stella's truc? Het spijt me om te moeten zeggen, jongmaatje, maar je moeder had geen spoor van talent als het op origami aankwam. Haar droggen leken nog het meest op vogelverschrikkers. Vogelverschrikkers bovendien, die nog geen blinde kraai voor de gek zouden houden.'

'Genoeg geroddeld.' Hij zet een wijsvinger op een rode stip. 'Hier dropte de haai ons dus. Trichterhaven. Dat op palen en vlotten gebouwd werd. Hier rechts: Amsvorde.' Hij verplaatst zijn hand naar de plaats waar in Nederland de zeekust zou liggen. 'De Westelijke Eilanden: Wallagren, Schouwland, Goede Rede, 's Gravenhaven, Haarlemmerzand, Hooghelder.' Verrassend om de namen uit Stella's sprookjes met knalrode en blauwe letters op een landkaart gedrukt te zien. Weinig is zo overtuigend alledaags, zo geloofwaardig als een geplastificeerde landkaart met koffiekringen en vegen ingedroogde mosterd.

'Jullie namen klinken eigenlijk verdacht Nederlands,' zegt Dagmar. 'Ik bedoel: 's Gravenhaven is zo goed als 's Gravenhage, Goede Rede, Goeree.'

'Ik vermoed dat Holland en de Eilanden als hetzelfde land begonnen,' zegt Gisbrandt. 'Eeuwen en eeuwen geleden. Jullie voorouders besloten dijken te bouwen. Wij bleven de zee trouw. Daarom dreven we uit elkaar tot we elk in onze eigen wereld eindigden.'

'Dit hier is ook Nederland?' vraagt Neil. 'Een soort Nederland?' Hij gebaart naar het raam. 'Aan de andere kant van de zee hebben jullie je eigen Engeland? Je eigen Amerika en Marokko?'

'Klopt. Al heten landen hier vaak anders. Onze priesters, die toch redelijk wijs zijn, beweren dat er miljoenen Aardes zijn. Ze lijken op elkaar als zandkorrels op een oneindig strand. Op het eerste gezicht hetzelfde, maar in detail volkomen anders.'

'Eilanders kunnen dus van de ene wereld naar de andere reizen,' zegt Dagmar. 'Handig.'

'Niet alle Eilanders. Behalve de Scheepsgarths eigenlijk niemand. Mijn broers en zusters kunnen met het getij van onze wereld naar die van jullie stappen. Vloed van de Eilanden naar Nederland. Eb andersom. Zo werkt dat.'

Enkel Scheepsgarths kunnen van wereld naar wereld stappen, denkt Neil. Maar Scheepsgarths dat zijn Dagmar en ik ook! Wij zijn Stella's kinderen, bloed van haar bloed. Minstens voor de helft Scheepsgarths.

De poel bij de camping!

Ik vouwde dat poeltje open tot een zee. Zodat de Duizend Eilanden onze wereld in konden stromen. Het had niets met jagers of Stella te maken. Dat deed ik zelf. Zonder het te weten.

Stella wilde zich juist verborgen houden en absoluut niet opvallen. Het laatste wat ze kon gebruiken was wel een gapende opening naar haar oude wereld. Kijk eens, jagers, hier ben ik!

En de foto. Misschien was de foto ook mijn schuld. Misschien veranderde hij pas toen ik hem bekeek? Dat zou ook verklaren waarom de foto in Stella's toestel normaal bleef. Geen gouden schepen, maar herenhuizen en een Amersfoortse brug.

'...heen gaan.'

Waar heeft Gisbrandt het over?

'Sorry? Ik lette even niet op.'

'We vertrekken morgenochtend met de eerste veerboot naar het noorden. Dat vertelde ik aan je zus. Naar de terpen van Fryslan. Misschien kunnen we mijn broers nog voor zijn.'

'In Fryslan woont onze andere familie,' voegt Dagmar toe op zo'n toontje van 'Luister toch, oen!'.

'Wij Scheepsgarths waren tot zestien jaar geleden de

machtigste familie van Fryslan,' vertelt Gisbrandt. 'Stella maakte daar een eind aan. Als mijn vader nu met een oude kaasdoek over zijn hoofd over een brug sluipt, spuwen weduwen aan zijn voeten. Jongmaatjes trekken lange neuzen tegen hem en wijzen hem na. Ze joelen:

'Gebbe, Gebbe, lege toren!
Gebbe is zijn dochter kwijt
en niemand kan haar vinden."

'Wat deed Stella voor vreselijks?' vraagt Neil.

'Ze vluchtte. Kijk, het is traditie dat de oudste dochter van de Scheepsgarths de Stella Maris wordt, de Vrouwe van de Behouden Vaart. Er is geen hogere eer in heel het eilandenrijk. Stella had rijker en beroemder dan jullie koningin kunnen worden. In plaats daarvan liep ze weg en maakte ze haar familie te schande.' Gisbrandt haalt zijn schouder op. 'Helemaal ongelijk kan ik haar niet geven. De Stella mag zijden jurken dragen en elke dag ganzenlever eten, ze zit ook voor de rest van haar leven in een kille stenen toren opgesloten.'

'In een gevangenis heb je tenminste nog cipiers om tegen te praten,' zegt de blodling vanaf Neils schoot. 'Niemand bewaakt de toren. Niemand hoeft de toren te bewaken.'

Neil kijkt naar haar omlaag en sist van schrik. Stella's gezicht is bij de blodling amper herkenbaar meer. Zo oud ineens: een mummiemasker vol rimpels en bruine levervlekken. De neus lijkt een snavel: gebarsten leer over kromme botjes.

'Kleine zuster, je gezicht!'

Maar-even-leven

De blodling glimlacht. Haar tanden zijn nog steeds wit, ook al verdroogden de lippen tot repen verfrommeld zeewier. 'Ik ben een kleine zuster, Neil. Gemaakt van een druppel bloed en één enkele haar van Stella. Mijn leven is even nietig. Drie dagen lang hoogstens.' Ze hijst zich moeizaam over de tafelrand en heft haar gezicht naar Gisbrandt op.

'Je groeide mij uit een haar van mijn grote zuster. Ik snuffelde en zocht. Ik faalde. Mijn leven was nutteloos.'

'Niet nutteloos, kleine zuster. Je vond Stella's kinderen. Dat is even goed als Stella zelf. Beter.'

'Blij dat te horen. Nu kan ik tevreden sterven.'

'Sterven?' vraagt Neil. 'Waar heb je het...'

Voor zijn ogen verschrompelt de blodling. De buik valt in, de poten worden gelige stokjes en knappen met een afschuwelijk hoog getinkel.

Neil deinst terug. Zijn stoelpoten schuiven gierend over de gelakte vloer.

Als een leeglopende ballon, gaat het door hem heen. Alsof de blodling niet meer dan een speeltje was.

Een wolk van vachtharen dwarrelt over de tafel. Zodra de plukken haar het tafelblad raken, smelten ze sissend weg.

De bruine botjes blijven een paar seconden langer zichtbaar voordat ook zij in damp opgaan.

'Ze is dood. Ze smolt.' Neils hele gezicht voelt daas en verdoofd. Alsof hij een stomp tegen zijn neus heeft gekregen. 'Waarom, wat...'

'Ze was opgebrand. Meer niet.' Gisbrandt likt aan een wijsvinger en pikt het haar van de rand van de kaart op. Eén lange, witte haar, ongetwijfeld van Stella zelf: meer is er niet van de blodling overgebleven.

'Je hoeft niet om haar te treuren, Neil. Een kleine zuster is een wegwerpbeestje, maar-even-leven en dat weet ze. Over een afgeknipte nagel jammert toch ook geen mens? De nagel zelf nog minder.'

Neil kan het gewicht van de verdampte blodling nog op zijn schoot voelen, een spookachtig restje van haar warmte. Mijn zusje. Mijn kleine zusje. Ik wilde je beschermen.

'Ik maak een nieuwe voor je,' zegt Gisbrandt. 'Dat beloof ik je. Zodra we zeker weten dat Stella in de buurt is.'

En dat moet me zeker troosten? denkt Neil. De blodling had haar eigen leven! Ze kon praten en denken.

Drie dagen en het is voorbij. Het is toch afschuwelijk als je weet dat je in minder dan een week stokoud en dood zult zijn?

Gisbrandts aandacht is alweer terug bij de kaart. 'Als ik maar wist waar mijn broers neerstreken. De eb zuigt je halsoverkop naar binnen. Als je geen duidelijk reisdoel in je hoofd hebt, kun je letterlijk overal aanspoelen.'

'Laat mij maar,' zegt Neil. Elke afleiding is welkom, zolang hij maar niet aan de dode blodling hoeft te denken. Hij ramt zijn wijsvinger in het centrum neer. 'Hier. We zagen de kerk van Schokland aan de horizon wapperen toen ze Stella meetrokken. Niet verder dan een kilometer of tien.'

'De kathedraal op het Eerste Eiland!' Gisbrandt springt op. 'Natuurlijk wilden ze daar als eerste naar toe! Ze moeten Stella reinigen voor ze naar haar toren kan.'

'Waar ga je heen?' roept Dagmar. Ze spreekt tegen zijn rug. 'Een bedevaartsreis voor drie boeken,' antwoordt Gisbrandt op de drempel. Hij wappert met zijn rechterhand. 'Blijf rustig zitten en bestel alles wat je hartje begeert. Ik ben zo terug. Een uur of drie. Hoogstens vijf.'

'Wacht!' roept Neil. 'Je kunt ons niet alleen achter...'

Hij praat tegen een gesloten deur.

Neem nog een slok babbelsap

'Mooie boel,' zegt Dagmar. 'Zitten we hier opeens in ons eentje. Vijf uur.'

'Ik ben er ook niet blij mee,' zegt Neil.

Zonder Gisbrandt verliest het café veel van zijn charme. Hij was de gids, de enige die de regels kende van dit vreemde oord. Alle mensen geloven dat hun regels volkomen logisch en vanzelfsprekend zijn. Voor buitenstaanders zijn ze dat zelden.

Neil kijkt de ruimte behoedzaam rond en neemt de andere gasten uit zijn ooghoeken op. Soms is het zeldzaam stom om vreemden te recht in de ogen te kijken, weet hij.

'Hebbik soms wah van je an?' snauwen ze en voor je het weet springen een dozijn lui je op de nek.

Rechts van de zingende piraat lurken twee heren met kaalgeschoren schedels en hangsnorren aan een waterpijp. De kleinste leunt met een zucht van welbehagen achterover en blaast drie bleekgroene ringen van rook.

Ze zijn waarschijnlijk ongevaarlijk, denkt Neil. Buschauffeurs of vuilnismannen. Of belastingadviseurs, ja. Net als Richard. Dat ze kromme dolken aan hun riem dragen hoeft niks te betekenen. Vast voor de sier en zo bot als een botermes.

'Wat mag het zijn, joffer en jongmaatje?' zegt een stem zo ongeveer in zijn oor.

Neil schiet overeind en tuimelt bijna met stoel en al om. Hij heeft de kroegbaas niet horen naderen. Niet zo vreemd, alleen een stampende olifant komt boven het enthousiaste 'tralalilala!' van de opwindpop uit.

'Eh, drinken?'

'Nog een bruisende beker van hetzelfde?'

Getver. Niet weer dat bittere bocht. 'Heeft u niks met prik?'

'Prik?' De kroegbaas krabt zich door zijn bakkebaarden. De zilveren belletjes aan de punt van zijn sik rinkelen. 'Bedoel je met verse kwallententakels of een blaadje brandnetel?'

'Sju,' zegt Dagmar. 'Geperste sinaasappels,' verduidelijkt ze als de man haar vol onbegrip blijft aankijken.

'Ik weet niet wat sji hash sappels zijn. Ik breng jullie een karaf blauwbessensiroop, ja? Mijn eigen kinderen slempen en kloeken dat met vaten tegelijk.'

'Ja, blauwbessensiroop is prima.'

'Prima betekent goed?'

'Prima betekent goed.'

Ik hoop echt dat Gisbrandt niet te lang wegblijft, denkt Neil. Wat moeten we als de kroegbaas met de rekening komt? Gisbrandt liet geen stuiver achter en euro's kun je hier vast niet wisselen.

'Twee blauwbessensiroop.' De kroegbaas bonkt de aardewerken kroezen op het tafelblad en trekt een stoel bij.

'Dit is het rustigste uurtje van de dag. Tijd genoeg voor een babbel.' Hij steunt zijn kin op zijn knokkels. 'Mijn naam is Gerrald Bismarkszoon. Jullie?'

'Neil,' zegt Neil. 'Neil Grevendal.'

'Dagmar.'

'Grevendal. Eigenaardig. Gisbrandt beweerde dat jullie familie waren: Scheepsgarths.'

Hij zit te vissen, denkt Neil. Ons uit te horen.

'Onze moeder was een Scheepsgarth,' zegt Dagmar.

'Aha? En hoe heette jullie moeder dan wel?'

'Jessica,' zegt Neil voor Dagmar haar grote klepmond voorbij kan praten. 'Ze heet Jessica Appelwang.'

Het is de eerste naam die bij hem opkomt. Jessica Appelwang heette het meisje uit het boek dat meester Justin aan het voorlezen was.

Dagmar trekt een wenkbrauw op. Godzijdank spreekt ze hem niet tegen.

'Grappig. Ik dacht dat ik alle Scheepsgarth-dochters kende. Beroemde familie, de Scheepsgarths.' Hij schuift de bekers naar voren. 'Hier. Neem een slok. Met een droge keel praat het zo beroerd. Zoals de vampier mompelde voor hij de roddeltante in haar hals beet.'

Voor een buitenlands drankje valt de blauwbessensiroop mee. Redelijk zuur, maar niet veel zuurder dan het passievruchtensap dat oma Annemarth hun op hete dagen inschenkt.

'Niet slecht, hé?' De kroegbaas plukt aan zijn sikkebelletjes, draait ze tussen duim en wijsvinger. 'De eerste keer dat jullie dit godendrankje proefden? Daar moeten we iets aan doen.'

Als Neil opkijkt, staan er ineens vier lege kroezen voor hem op tafel. Heb ik die werkelijk alle vier naar binnen geklokt? Ik moet wel een vreselijke dorst hebben gehad.

'Gisbrandt beweerde dat jullie Scheepsgarths waren,' zegt de kroegbaas. 'Gisbrandt kan zoveel zeggen. Jullie komen vast niet van hier. Laat me raden. Britland?'

'O nee, nee!' Een giechel borrelt over Neils lippen. Hij neemt nog een ferme slok blauwbessensiroop om zijn keel te smeren. Net als de vampier. De vampier die, die... Doet er niet toe. Heel zijn hoofd zit vol hopsende zonnevlekjes en dwarrelvlinders. 'Niet van hier.'

Een nieuwe giechel laat zijn buik schokken. 'We komen van Nederland, waar...'

'Waar alle schepen van hout zijn!' joelt Dagmar.

'En de witte haaien nog geen kudde zeepaardjes hoeden!' gniffelt Neil.

Dit is dolle gein! Kijk, nu schuiven die aardige buschauffeurs ook al aan. Ze slaan hem op de schouders en trekken Dagmar en hem de vloer op.

'Dans met ons! Laat zien hoe ze in Nevelland dansen!'

'Nederland,' verbetert Neil hem.

'Hoe heette jullie moeder ook weer?' De kleinste chauffeur maakt een salto en slingert Neil vervolgens in het rond.

Draaimolenzwieren! Dat heeft niemand meer met me gedaan sinds ik een kleuter was. Cool, die kerel moet allemachtig sterk zijn. Richard weigerde te draaimolenzwieren sinds Neil zes werd. 'Je bent te zwaar, kerel. Ik zou mijn rug breken.'

De chauffeur laat hem veilig op een bank neerslieren. Zodra Neil overeind krabbelt, drukt de man hem de halfvolle beker in handen. 'Neem een slok. Je moeder. Haar naam is me even ontschoten. Help me.'

'Jessie?' Neil schudt zijn hoofd. 'Nee, dat was het boekenmeisje. De molenaarsdochter. Mijn moeder...'

'Ja? Toe maar. Je weet het.'

Ah, de kroegbaas zit ook weer aan hun tafeltje. Met een nachtzwarte kraai op zijn linkerschouder.

'Stella natuurlijk!' Neil steekt een vinger in de lucht,

zwaait. Hij weet het! Hij is het slimste jongetje van de klas.

'Stella van de Duizend Eilanden. Stella de Maris!'

'Jullie reisden met Gisbrandt,' zegt de kroegbaas. 'Waarom precies?'

'Om ons, onze moeder te redden natuurlijk. Ze heeft twee broers. Prester en Tobbe, nee, Tebbe.'

De kroegbaas roffelt met zijn eigen beker op de tafel. 'Een tien met een griffel voor dit jongmaatje! Hij gaf het enige juiste antwoord.'

Het hele café klapt en stampt op de grond. Of nee, zoveel zijn het er niet. Alleen de kroegbaas en de belastingchauffeurs zijn nog over.

'We delen?' vraagt zo'n aardige chauffeur aan de kroegbaas. Hij heeft zijn mooie, scherpe mes getrokken en streelt met zijn duim over de punt. Grappig.

'We krijgen glimmers voor iedereen, Yurian. De Scheepsgarths zijn rijk. Zo rijk dat ze op diamanten pantoffels rondsloffen en hun zeekatten nachtegalenhartjes voeren.'

De kroegbaas laat de kraai op zijn hand overstappen en zet hem op tafel.

'Ik heb het opgeschreven,' zegt de andere chauffeur. Hij vouwt het vel papier tot het niet groter dan een toffee is. De kraai spert zijn gele snavel open, slikt de boodschap door.

'Schokland,' zegt de kroegbaas en tilt de vogel tot zijn lippen op. 'Prester en Tebbe, de gebroeders Scheepsgarth.'

'Scho Klant,' krast de kraai na. 'Scheps Gath.'

'Je hebt het.'

'Izze dat voor geinvogel?' vraagt Neil. Het lukt hem niet meer om volledige zinnen te maken: er dansen te veel zonnevlekjes door zijn hoofd.

'Een postkraai, jongmaatje.' De kroegbaas grijnst. 'Hij kent de eilanden beter dan jij of ik. Wil je hem persoonlijk weg laten vliegen?'

'Golle gein. Dolle gein, ja.'

Neil stapt de kade op en knippert tegen het lage licht. De zon tikt de horizon aan: een driemaster etst een inktzwart miniatuurtje tegen haar bloedrode schijf.

Avond? denkt Neil. Nu al?

Voor zijn gevoel zaten ze hoogstens een halfuurtje in het café.

'Gooi hem!' lacht Dagmar achter hem. 'Hopsakee in de wolken!' Ze klapt in haar handen.

Ja, hopsakee in de wolken. Dat doe je met postkraaien.

'Goede reis!' roept hij de klapwiekende kraai na. 'Goede reis en behouden vaart!'

De kroegbaas slaat zijn armen over hun schouders en stuurt hen het oorlamhuis in. 'Ga zitten. Ik haal nog wat te drinken.'

Even later zet hij twee kristallen kelkjes neer.

'Geen blauwbessen meer,' protesteert Neil. 'Mijn maag klotst en bubbelt. Nog één slok en ik moet overgeven.'

'Dit is een ander drankje.' De kroegbaas trekt de stop van de aardewerken kruik en giet een lichtgroene vloeistof in de kelkjes.

'Ruikt naar kauwgum,' zegt Neil achterdochtig.

'Stel je niet aan,' zegt Dagmar. 'Het is gewoon pepermuntsmaak.'

'Klopt, joffer, munt. Drinken jullie je lekkere glaasje nu maar lief op. We kunnen niet hebben dat Gisbrandt straks de geur van babbelsap in jullie adem ruikt.'

'Babbelsap?' vraagt Neil.

'Och, zo noemen mensen blauwbessensiroop soms. Omdat de drinkers alles eruitflappen wat maar in hun tollende hoofd opkomt.'

Neil pakt zijn kelkje op, snuffelt er opnieuw aan. 'Dit is geen babbelsap?'

'Nee, een veel duurder drankje. Nepenthe. Neem één slok en je vergeet de afgelopen drie uur. Het enige wat je je herinnert is dat je in een tobbe vol lol rondgespetterd hebt.'

'Lol lijkt me leuk,' zegt Neil. Hij klokt de inhoud in één keer naar binnen.

Pelgrims naar Schokland

Neil snijdt zijn tweede gebakken paling met Zavelse mosterdsaus aan als Gisbrandt de gelagkamer binnen stommelt. Rode modder druipt van zijn laarzen. Uit zijn bontkraag sliert een streng zeewier.

'Ik heb een schipper gevonden.' Hij klinkt vermoeid. 'Morgenochtend varen we uit. Klokslag acht.' Gisbrandt inspecteert de overvolle bakjes met graten en bananenschillen, de emmer met mosselschelpen. 'Hebben jullie je een beetje geamuseerd?'

'Ja, het was cool hier,' zegt Neil. Erg helder kan hij zich de gebeurtenissen niet meer voor de geest halen. Er was iets met een kraai, hij en Dagmar dansten met twee piraten, nee, buschauffeurs. Als hij zich de rest van de middag probeert te herinneren, stuit hij op een warme mist vol fonkeltjes. 'Echt aardige mensen hier. Toffe peren.'

'Blij dat te horen.' Gisbrandt wuift naar de kroegbaas. 'Doe mij ook maar drie palingen-in-het-netje, Gerrald. Met een royale kledder duivelssaus.'

Neil stommelt geeuwend de slaapkamer binnen. Het raam staat op een kier en hij ziet de kleurige lichtjes van seintorens flakkeren. Boven het enige tafeltje hangt een tegel met:

'GEDENK DE GROTE VLOED VAN 1421!
Als God wilde
dat wij dijken bouwden
dan had Hij ze niet
allemaal weg laten spoelen.'
Ja, daar had Gisbrandt het al over. Mensen hebben hier
weinig vertrouwen in dijken. Of zeg maar liever dat ze er
een bloedhekel aan hebben.
Er vond hier blijkbaar een ramp plaats. Een die al hun dijken had weggeslagen.

Zodra Neil zijn schoenen uitgeschopt heeft, laat hij zich
achterover op het bed ploffen. De matras is met zeegras gevuld: de scherpe jodiumgeur doet Neils neusvleugels tinte-
len.
Net alsof ik op het strand slaap. Aan de vloedlijn.
Het is zijn laatste gedachte voor zijn ogen dichtvallen.

Het keffen van een kudde zeehonden wekt Neil in het holst
van de ochtend. Een blik op zijn horloge leert hem dat het
halfzeven is. Hij kreunt en hoest eens lekker, wrijft uitge-
breid in zijn ogen.
De rij kokkels aan de zoom ratelt als hij het gordijn
krachtig optrekt. Yes, dit is het betere uitzicht. Van vier
hoog kun je de hele haven overzien.
Hij duwt het raam verder open.
In het grauwe ochtendlicht is het al een drukte van belang
op de kade. Karren met druipende balen zeewier rijden
hotsend en piepend af en aan. Een vishandelaar takelt een
zwaardvis op, terwijl zijn kat klaaglijk miauwend langs zijn
enkels strijkt.
Achter hem kraakt Gisbrandts bed. Stella's broer vouwt

zijn slaapmuts op en voegt zich geeuwend bij Neil voor het raam.

'Zulke ijverige baasjes hier, jongmaatje. Stedelingen zijn altijd doodsbang dat God de zon uitblaast voor ze een zak goudstukken verdiend hebben.'

Gisbrandt is blijkbaar van het platteland. Hij had het over terpen. Waren dat geen Friese boerderijen, elk op zijn eigen heuveltje?

Een laag geloei drijft over het water aan. Neil steekt zijn hoofd verder uit het raam.

Roeibootjes en kano's darren opzij terwijl een enorm vlot log op de kade afdrijft. De loodsman brengt zijn overmaatse slakkenhuis opnieuw aan zijn mond en het desolate geloei herhaalt zich.

Een kinkhoorn. Op de vensterbank thuis lag net zo'n schelp. Al was die van Stella niet groter dan een babyhoofdje.

Volgens Stella was het een tropisch slakkenhuis en gebruikten inboorlingen op verre eilanden kinkhoorns als trompetten. Waarschijnlijk bedoelde Stella daar haar eigen landgenoten mee.

'Een nieuwe lading zandflessen,' verklaart Gisbrandt. 'Uit de Sahara.'

Neil schermt zijn ogen af tegen de verblindende fonkel op het water. Gisbrandt heeft gelijk. Het zijn flessen, monsterflessen van vuistdik glas en zeker vier meter hoog. Ze waren domweg te reusachtig om ze als flessen te herkennen.

'Wat moeten jullie hier in vredesnaam met zand? Onder de zee is alles toch van zand?'

'Klopt. Daar is één probleem mee: elke korrel Eilands zand is al iemands eigendom.

Stel dat jij je terp wilt ophogen? Het heeft weinig zin zand uit je eigen omgeving te dreggen. Je maakt de stroomgeulen om je eiland dieper en dan spoelt je terp des te vlugger weg.

Zand van je buurman stelen is nog riskanter. Zanddieven spijkeren wij Fryslaners met hun tong aan hun eigen drempel vast. Vervolgens proppen we levende krabben in hun broek.'

Neil huivert. 'Toch, om dat zand helemaal uit Afrika te halen?'

'Zandvaarders worden er schatrijk mee. Ze betalen hun matrozen een handvol houten stuivers en Saharazand zal de eerste duizend jaar niet opraken. De flessen giet je ter plaatse. Glas maak je van gesmolten zand, weet je.'

In de gelagkamer ontbijten ze met een kom dampende mosselsoep en een mand viskoekjes. Neil had eerlijk gezegd liever een uitgeperste sinaasappel gehad en een bord Brinta. Al die zeebeesten kunnen je allemachtig snel tegen gaan staan als het menu niets anders biedt.

Ze zijn de enige gasten. De aardige chauffeurs van gisteren logeren hier blijkbaar niet. Of misschien slapen ze hun roes nog uit.

De pelgrimsboot ligt in een uithoek van de haven.

'Jochems Bidboot,' meldt een roestig reclamebord. 'Bezoek de kathedraal van Schokland! Goed voor uw ziel en verrassend betaalbaar!'

Jochems Bidboot is een Eilandse vissersboot, hoogbejaard en zeldzaam slecht onderhouden. Op verschillende plaatsen is het goud afgebladderd en kijk je tegen het wormstekige hout van de romp aan.

Al dat blinkende goud was dus nooit meer dan een dun laagje, denkt Neil. Dikker dan bladgoud maar niet veel dikker. Jammer. Ik had het kunnen weten. Een massief gouden schip zou zinken als een baksteen.

'Zijn jullie de pelgrims?' De schipper hangt over de reling, een Goudse pijp in de hand. Hij blaast een stroom rook uit. 'Jullie zien er niet bepaald devoot uit. Zoals de haas opmerkte toen vossen in monnikskappen op zijn deur klopten.'

Neil stoot Gisbrandt aan. 'Verzinnen jullie al die rare verhaaltjes zelf? Of moesten jullie er op school een paar honderd in je kop stampen?'

'Welke rare verhaaltjes? Zoals de molenaar zei, die...'

'Laat maar.'

'Mijn naam is Mordred Brinkerszoon,' zegt de schipper. 'Mor voor mijn vrienden. Jullie mogen mij Grote Kapitein noemen.' Hij houdt een smoezelige hand op. 'De rest van mijn goudstukken graag. Soms slaat een pelgrim overboord. Het zou treurig zijn als mijn zuurverdiende geld tussen de schollen en garnalen eindigde.'

De kotter schommelt de haven uit. Neil leunt met zijn ellebogen op de reling van de achterplecht.

Overal puntdaken met mosgroene dakpannen, een kerktoren als een stekelige distelbol. Boven het stadspark cirkelen een dozijn vliegers.

Net een school kleurige guppies, denkt Neil. Zouden ze beter vliegen in de Duizend Eilanden? Waarschijnlijk wel: vliegers vouw je.

Vliegeren, dat heb ik al jaren niet gedaan.

Richard vliegerde vroeger met ons op de wei naast de snelweg. Elke zaterdagochtend. Tot ik zo nodig op turnen moest. Meer dan vijf keer ben ik niet in de sporthal geweest, maar toen ik ophield, was het al geen gewoonte meer. Vreemd hoe je zulke dingen volkomen kunt vergeten.

Richard. Al de tijd dat ze in de Duizend Eilanden waren heeft hij geen seconde aan zijn vader gedacht.

We hielden Richard overal buiten, realiseert hij zich. Stella was in gevaar en pappa begreep toch niets van de Eilanden. Pappa is maar een gewoon mens. Een beetje zielig. Blind en doof voor alle wonderbaarlijke zaken. Wij niet, o nee, Dagmar en ik zijn halve Eilanders!

En toen hij vervolgens niets meer over Stella wilde horen... We schreven hem af. Hij leek bijna een vijand.

Plotseling mist hij zijn vader vreselijk.

De zee is bezaaid met eilanden. Op elk ogenblik zijn er minstens een dozijn in zicht. De meeste zijn klein grut, amper meer dan zandbanken met doezelende zeekoeien. Op de grotere eilanden balanceren boerderijen op griezelig hoge stelten. Mangrovebossen groeien tot halverwege de vaargeul.

'Hoe lang is het varen naar Schokland, Gisbrandt?' vraagt Dagmar.

'Een halve dag schat ik. Blijf een beetje uit de buurt van de reling, joffer. Ik heb de schipper vooruitbetaald. We zouden de eerste pelgrims niet zijn, die overboord sloegen bij een spiegelgladde zee.'

Neil kijkt om naar de schipper. De man smoest met twee matrozen op de achterplecht. Hoogst verdacht. Hoort een schipper de zee niet af te speuren naar verraderlijke zandbanken? Of de windrichting te bepalen?

'Denk je dat Mor een soort piraat is?'

'Wat anders? Geen normale zeeman laat een pelgrim op zijn boot. Pelgrims brengen ongeluk, dat kan elke kleuter je vertellen. Pelgrims naar Schokland zeilen is al helemaal vragen om een schipbreuk. De kathedraal is hongerig.' Gisbrandt trommelt op de reling. 'Tja, een verstandig schipper zet pelgrims halverwege overboord. Met een ankerketting om hun enkels.'

'Als je dat wist,' vraagt Dagmar, 'was het dan niet een ietsepietsje onverstandig om dit schip te kiezen?'

'Alle andere schippers weigerden voor ik goed en wel uitgesproken was.' Gisbrandt strijkt een velletje papier glad op zijn knie. 'Het is inderdaad beter om Mor te waarschuwen. Hem duidelijk te maken dat wij geen malse zeekommers zijn.'

Zijn zilveren vulpen krast over het papier.

'Dit is het wel,' zegt hij enkele regels later. 'Luister: mijn naam is Gisbrandt Scheepsgarth en ik vaar op Jochems Bidboot naar Schokland. De schipper draagt de naam Mordred Brinkerszoon. Mocht mijn lijk aanspoelen, wreek mij dan met uitzinnige wreedheid.' Hij wappert met het papier om de inkt te drogen. 'Mor! Wijze Kapitein? Ik wilde u graag even spreken!'

'Jullie boffen, pelgrims. Ik heb op dit moment weinig andere afspraken.'

De mannen wandelen hun richting uit. Het valt Neil nu pas op dat Mors matrozen precies zulke kromme dolken dragen als de buschauffeurs gisteren.

Het mes van de kapitein zelf is aanzienlijk langer: eerder een sabel.

'Misschien wilt u dit even doorlezen?' vraagt Gisbrandt.

'Interessant,' zegt de kapitein als hij het vel teruggeeft. 'Scheepsgarths dus. Helaas, brave borst, is een bericht dat niemand bereikt geen bericht. Zoals de haai zei toen hij een hap uit de postbode nam.'

'Dat kan verholpen worden.' Gisbrandt vouwt het papier dubbel. 'Let op. Grote truc.' Onder zijn vinger wordt het papier een trapje. Hij vouwt het uit tot een dubbele waaier.

'Dat was het?' vraagt Mor.

'Momentje.' Gisbrandt maakt een vuist, blaast erin. Als hij zijn hand opent, ligt er een papieren zeemeeuw op zijn handpalm.

'Je hebt dus een papieren beestje gevouwen, hoge meneer de Scheepsgarth. Nou en?'

'Mis, Mor. Geen vouwbeestje: een drog.' Gisbrandt gooit de vogel omhoog voor Mor zijn pols kan vastgrijpen. De meeuw slaat zijn vleugels uit, cirkelt om het schip en zwenkt vastberaden naar het noorden.

'De boodschap is tegelijk mijn boodschapper, Mor. Over een paar uur strijkt hij op de duiventil van mijn vader neer.'

'Hij heeft je bij de staart, baas,' zegt de kleinste matroos. 'Hem verzuipen leidt tot gebungel aan de hoogste tak van de Scheepsgarthse terp-eik.'

'Och.' Kapitein Mordred grijnst een half dozijn gouden kiezen bloot. 'Varen we toch voor één keer wel door naar Schokland?'

'Maar als je vader nu je bericht leest?' vraagt Neil zodra de kapitein buiten gehoorsafstand is. 'Hij kan je broers waarschuwen dat je op weg bent naar Schokland. Prester en Tebbe mogen toch niet weten dat we hen achtervolgen?'

'Geen paniek. Toen we aan boord gingen, bekeek ik hun reservezeilen in de voorplecht. Je hebt twee linkerhanden en een horrelvoet nodig om zeilen zo knullig op te vouwen. Mor weet niets van droggen. Wie ze nooit gevouwen heeft, overschat al snel hun krachten.' Hij knikt naar het noorden waar de vogel tot een dansend stipje is gekrompen. 'Ik geef mijn vogel in het beste geval nog een halve kilometer. Daarna blaast de wind hem in de golven.' Hij grinnikt. 'Er zat niet eens watervaste inkt in mijn vulpen! Weinig kans dat mijn vader dat bericht ooit onder ogen krijgt.'

De hongerige kathedraal

'Het getij keert,' zegt Gisbrandt. 'Nog even en het is eb.'
Overal om het schip heen duiken zandbanken uit de golven op. Een kudde zeekoeien zwenkt af en blijft vlak achter het schip aan zwemmen. Neil telt niet minder dan drie rugvinnen, hoewel het water te troebel is om de lijven van de herdershaaien te onderscheiden.

De zee stroomt weg naar de horizon. Na verrassend korte tijd kijken ze uit over een uitgestrekte moddervlakte. Het schip volgt een kronkelende vaargeul waarin talloze kleinere riviertjes uitstromen.

'Van hier tot de Ljouwertse terpen,' zegt Gisbrandt, 'ligt de bodem van de Middelzee nu bloot. Zand en slik, mosselbanken en zoutbossen. Plus meer eilanden dan je in een mensenleven kunt bezoeken.'

Neil zuigt de lucht diep in zijn longen. Hoewel er amper land is, lijken de Duizend Eilanden zo eindeloos veel wijder dan Nederland zelf.

Misschien, gaat het door hem heen, waren wij de stommelingen toen we voor dijken kozen.

'Is dat Schokland soms?' vraagt Neil. 'Dat streepje in de verte?'

'Je ziet de hoogste torenpiek,' zegt Mor. 'Piet Heyn heeft die hoogsteigen persoon opgericht: de mast van een Spaans zilverschip. Meestal wenden stuurlieden als de wiedeweerga hun steven zodra ze een glimp van de kathedraal opvangen. De Grote Kapitein is echter zonder vrees.' Hij balt zijn linkervuist en bonkt tegen zijn borst. 'Mordred Brinkerszoon vaart onverschrokken waarheen zijn passagiers maar wensen!'

Bij elke windvlaag die de zeilen bolt, hijst de kathedraal zich verder boven de horizon uit. Vlaggen golven van de hoogste torens, rafelig als slierten zeewier.

'Schokland was het eerste land dat uit de golven oprees,' vertelt Gisbrandt. 'Het is nog steeds de spil van de Duizend Eilanden.'

'Als Schokland zinkt, zinkt de wereld,' knikt Mor. Hij tuurt naar de schimmige toren. 'Ah, Schokland, Schokland. Immer hongerig en minder dan geduldig. Ik kan de vaargeul beter goed in de gaten houden. Het zou niet de eerste keer zijn dat de monniken zeemijnen strooiden.'

Hij klautert de boegspriet op en speurt het grijze water af. 'Overdrijft Mor?' vraagt Neil. 'Of zijn jullie monniken nu ook al zeerovers, Gisbrandt?'

De gewoontes van de Duizend Eilanden zijn onvoorspelbaar: misschien helpen lieve struikrovers hier grootmoeders over te steken terwijl monniken joelend schepen opblazen.

'O nee, o nee,' protesteert Gisbrandt. 'Schoklands brave monniken hebben niets met zeeschuimers gemeen. Ze zijn juist bijzonder heilig. Ze zouden nog geen houten stuiver voor zichzelf houden.

Hun kathedraal is een andere zaak. Volgens de legendes zal Schokland onder golven verdwijnen zodra de kathedraal niet langer groeit. Aangezien hun enige bouwmateriaal wrakhout en verscheurde netten is, zijn de monniken soms geneigd het toeval een handje te helpen.'

'Ze brengen dus toch schepen tot zinken, bedoel je? Met zeemijnen?'

'Niet alleen mijnen. Er zijn geruchten over potvissen die vissersboten rammen en met de mast in hun bek naar Schokland zwemmen. Reuzeninktvissen die zandschepen omlaag trekken.'

'Tien graden naar bakboord,' brult Mor. 'Ruk aan dat roer, kokkelvreter! Wil je onze kiel openrijten en met de schollen praten?'

Het schip zwenkt.

Mor wuift opgewekt naar hen. Hij heeft er duidelijk schik in. 'Een stel balken met ijzeren punten dreef ons tegemoet. Als je deze oude zeemossel wilt verschalken, zul je...' Hij springt op, hopst als een kwade kikker over de boegspriet. 'Stop! Volle kracht achteruit! Achteruit!'

Voor het eerst die reis hoort Neil een machine aanslaan. Jochems Bidboot stopt zo plotseling dat de masten krakend naar voren zwiepen.

Naast het schip welt bruisend schroefwater op. De boot siddert, schuift naar achteren.

Geen seconde te vroeg. De oevers aan weerszijden van het schip barsten open. Een dubbele rij kromme ijzeren tanden zwiept uit de modder omhoog. Midden in de vaargeul klappen ze met een rammelende donderslag tegen elkaar.

Neil duikt weg achter de reling. Klodders modder spatten hem om de oren. Klompen lillende eendenmossels smakken op het dek. Zes meter voor de boegspriet zakt de val borrelend in de diepte weg.

Neil komt met trillende benen overeind en klemt zich aan

de reling vast. Totaal bezopen, knettergek zijn ze allemaal hier...

'Een berenklem zo groot als mijn schip.' Mor schudt zijn hoofd in geamuseerd ontzag. 'Wat die slimme donders al niet verzinnen.'

Hij zwaait zijn benen over de reling. 'Sorry, baas Scheepsgarth, geen stapel goudstukken is hoog genoeg om mij nu nog door te laten varen.

Helmer, Doriaan, laat het anker zakken! Onze passagiers stappen híér uit.'

Stella, zeg iets!

De boeg van het roeibootje boort zich in de oever, die mee-schudt als een drilpudding.

'Tot ziens dan maar,' zegt Dagmar. 'De reis was me een waar genoegen, kapitein Mor.' Ze springt aan land en zakt prompt tot haar knieën weg. 'Shit met stoofperen!'

'Nooit het wad op zonder modderstappers,' zegt Gis-brandt. 'Heeft mijn zus jullie dan niets nuttigs in de lieve oortjes gefluisterd?' Hij grijpt haar bij de kraag, geeft een machtige ruk. Met een lebberende plop komen Dagmars voeten uit de modder los.

De modderstappers blijken een kruising te zijn tussen zwemvliezen en sneeuwschoenen. Zolang je je voeten maar hoog genoeg optilt, kun je zelfs over drijfzand wandelen. Vlot gaat het niet en comfortabel is anders: na koud twin-tig minuten stroomt het zweet Neil al over de rug.

Flaop! Je voet komt neer in het slik. Til de andere voet op voor je stappers wegzinken, blurp! En zet hem weer neer, flaop! Stop vooral niet om even uit te hijgen of je zakt weg.

De kathedraal dijt uit tot hij de halve hemel vult.

Als Neil opkijkt, hangt er een wapperende muur van visnetten en vergeelde zeilen boven hem. Honderden scheeps-masten en vastgesjorde dekplanken vormen het skelet.

De kathedraal ziet er niet gebouwd uit: eerder als het soort nest dat superwespen of intelligente termieten bij elkaar zouden scharrelen.

'Waarom brachten ze Stella eigenlijk naar de kathedraal?' vraagt Dagmar. 'Je zei iets over reinigen?'

'Mijn broers zouden haar vast het liefst regelrecht naar de Toren slepen. Daar kan geen sprake van zijn. Jullie moeder woonde jarenlang in het Geketende Land. Zolang het stof van de dijkbouwers aan haar kleeft kan ze onmogelijk onze Stella Maris worden. De monniken van Schokland zullen zeewierook voor haar moeten branden, Stella moeten af-schrobben met schelpzand. Hopelijk zijn ze daar een dag of drie mee bezig.'

'Is het nog ver, Gisbrandt? Ik kan niet meer.'

'Hou vol, jongmaatje,' zegt Gisbrandt. 'Het is heel niet ver meer. Zoals de ene mier tegen de andere zei terwijl ze over een boterham met appelstroop kropen.'

'Hou op met die stomme verhaaltjes!' gromt Neil. 'En noem me nooit jongmaatje meer. Hoe ver is "heel niet ver meer"?'

'Zie je die strook wit aan de voet van de kathedraal? Daar wordt de grond solide als een grindweg. Nog driehonderd-zestien stappen en je kunt je modderstappers fluitend aan je riem hangen.'

Gisbrandt heeft gelukkig gelijk. Bij de tweehonderdnegen-de stap zakt Neils voet al beduidend minder diep weg. Bij de driehonderdelfde sjokt hij een strand van witte kiezels op. Met een knor van genot schopt Neil zijn aangekoekte modderstappers uit.

'Jessus!' roept Dagmar naast hem. 'Wat is dit voor engs?' Ze springt op, veegt haar handen fanatiek aan haar broek af.

'Wat is er voor engs aan dode zeelieden?' zegt Gisbrandt. 'We wandelen door een heilig oord, joffer. Over het Strand der Beenderen.'

Beenderen? Neil kijkt naar zijn voeten. De witte kiezels zijn geen kiezels maar afgesleten brokjes rib, met zeepokken begroeide schedels, banken van losse kiezen en tanden.

'Dit is juist een plaats van troost,' zegt Gisbrandt. 'Elke drenkeling die zijn laatste slok zeewater hapt, weet dat hij eens hier zal aanspoelen. Tussen zijn kameraden.'

Het is niet vreemder dan een kerkhof, denkt Neil. Niet als je het land haat en de zee liefhebt. Een Eilandse matroos vindt het waarschijnlijk vreselijk om in een kist begraven te worden.

Dagmar is een aanstelster.

De ingang van de kathedraal is twaalf meter hoog en opgebouwd uit ribbenkasten en dijbeenderen. Een rij glimmend gepoetste schedels vormt de drempel.

Gisbrandt duwt het gordijn van gevlochten zeemanshaar opzij en ze stappen een schemerige hal binnen.

Neil kijkt op. Het dak van de kerk is een reusachtige fuik, minstens anderhalve kilometer hoog. Schuine zonnestralen schijnen door kieren en gaten naar binnen. Samen met de ladders en zwaaiende touwen maken ze spinnenwebben van licht die geen seconde hetzelfde blijven.

'Wijze monniken ahoi!' roept Gisbrandt. 'Nederige pelgrims zijn wij. Hongerig naar wijsheid.'

De schemerachtige ruimte slokt zijn stem op.

'Ahoi! Ik ben een Scheepsgarth! Is een beetje service te veel gevraagd?'

Neil glimlacht. Dat klonk al een stuk minder nederig.

'Wijd de zee.' De stem gonst door de ruimte en lijkt van alle richtingen tegelijk te komen. 'Wijd, zo wijd de zee en nietig het zeil van de visser.'

'Tegen het eindeloos klotsend grijs,' vult Gisbrandt aan.

'Laat niets vals, niets leugenachtigs deze tempel binnengaan.' De stem verheft zich. 'Laat noch drog, noch blodling deze stille plaats ontheiligen!'

De monniken van Schokland doemen op in de schemering: geruisloos als een school kabeljauwen sluiten ze hun bezoekers in.

'Wie deze zaken begrijpt, is hier welkom.'

De abt stopt neus aan neus met Gisbrandt. Hij draagt een mantel van gevlochten zeegras, een ketting van kreeftenscharen, sandalen met drijfhouten zolen.

'U bent niet de eerste Scheepsgarth hier.' Zijn stem krast als een raaf en is even onwelluidend. 'Uw broers lieten het goud rinkelen. Opdat onze toren gretig als een zeepok groeit.'

Ze willen geld, vertaalt Neil de mooie woorden. En flink wat ook.

'Ik zoek de Stella,' zegt Gisbrandt. 'Breng me bij haar en ik laat het goud rinkelen. Ik laat het rinkelen tot ze op Kampereiland denken dat de klokken beieren.'

'Uw broers lieten hier een vrouw uit het Geketende Land achter. Zij kan de Stella onmogelijk zijn.'

'Hoezo niet?'

'De klei van onheilige dijken kleeft aan haar voetzolen. Ze heeft zich volgepropt met kakelkippen, met landgraan en honing.' Hij klakt met zijn tong. 'Ze zal moeten vasten, geen wijn maar zeewater drinken. Ze zal haar haren moeten kammen met visgraten. Dan pas kunnen we beoordelen of zij inderdaad de Stella is.'

'Toch zou ik haar graag willen spreken. Of wacht eens. U zei dat mijn broers Stella hier achterlieten? Zijn ze zelf vertrokken?'

'Gisteravond. Een postkraai streek neer en kraste hun namen. Een kwartier later zag ik hun sloep wegzeilen. Dat is alles van geen belang.' Hij knipt met zijn vingers. Een monnik snelt toe met een koperen kistje.

'Vul het en ik breng u naar de vrouw, die mogelijk en misschien de Stella Maris wordt.'

De abt gaat hen voor door tunnels van wrakhout. Hij opent een deur die met gelakte zeesterren versierd is. Voor hen ligt een steile trap waarvan elke trede een aangespoelde scheepskist is.

'Boven vind je haar.' De abt stapt opzij. 'Je goudstukken hebben een kwartier van haar aanwezigheid gekocht. Geen hartenklop langer.'

'Langer hebben we niet nodig,' zegt Gisbrandt. Hij smakt de deur dicht in het gezicht van de abt.

'Stella?' roept Gisbrandt als ze op een nieuwe deur stuiten. Hij klopt. 'Zusje?'

Neil spitst zijn oren. Geen antwoord op steels geritsel na. Ratten, denkt hij. Of een krant die in de wind kreukelt.

Neil duwt de deur open.

De trap komt uit in een ijzeren kooi, die aan een ankerketting bungelt. In de hoek linksachter drukt een gestalte zich tegen de tralies.

'Mamma?'

Stella heft haar gezicht op. Haar huid is alarmerend bleek: spierwit. Haar ogen zijn eigenaardig dof, zonder enige glans.

Mijn god! denkt Neil. Wat hebben ze met haar gedaan?

'Stella?' Gisbrandt doet een stap naar voren. 'Stella? Zeg iets!'

'Mamma!' Neil stuift langs hem heen en werpt zich in de armen van zijn moeder. 'Ik miste je zo!'

Hij valt dwars door haar heen en smakt tegen de vloer van de kooi.

Neil krabbelt overeind. 'Stella, hoe...' Zijn maag maakt een salto van afschuw en ongeloof als hij ziet wat zijn vingers omklemmen.

Stella's arm. Stella's ruw afgescheurde en verkreukelde linkerarm.

'Heiligschennis!' De abt staat in de deuropening. 'Hier, mannen, hier!' Het spuug sproeit van zijn dunne lippen. 'Duw hun hoofden in het slijk! Ja, tot de meeuwen hun zielen uit de hemel pikken! Ze namen een drog mee. Ze namen een onreine drog mee in het hart van Schokland!'

Hang ze aan hun tenen op!

Ze bolderen de trap af, smijten de zeesterrendeur open.
'Wow, wat een moordhengst gaf je hem tegen zijn kop!' zegt Neil tegen zijn zus. 'Hij ging meteen onderuit. Met zijn eigen staf nog wel.'
'Och, hij stond er zo onhandig mee te zwiepen. Ik hoop alleen dat niemand zijn geschreeuw gehoord heeft.'
'Reken daar maar niet op,' zegt Gisbrandt. 'Monniken hebben een scherp gehoor. Als je een leven lang enkel het ruisen van de zee hoort, spits je je oren bij elk afwijkend piepje.'

Bij het einde van de tunnel steekt hij zijn hand op. 'Stil als strandvlooien nu! Ik controleer of de doorgang vrij is.'
Hij drukt zich met zijn rug tegen de wand, gluurt om de hoek.
Prompt stijgt een uitzinnig geschreeuw op.
'Ik zie zijn valse tronie, zijn heiligschennende snoet!'
'Voer ze aan de wolhandkrabben!'
Een halve cirkel van woedende monniken verspert de enige uitgang van de kathedraal. Ze zwaaien met pikhaken, knuppels van drijfhout, haaienkaken vol schots en scheve tanden.

114

'De gang links!' roept Gisbrandt. 'Volg me.'

Neil kijkt niet om. Hij hoort het roffelend geknars van houten sandalen over de schelpenvloer, gehijg.

Een stokvis sist langs zijn linkeroor en spat tegen een steunpaal in bruine splinters uiteen. Neil bukt onwillekeurig, rent dan met verhoogde snelheid door.

Dat was kantje boord: een paar centimeter naar rechts en ik was dood geweest. Alle andere spoken zouden me uitlachen: je schedel ingeslagen met een gedroogde kabeljauw...

Hij duikt achter Gisbrandt en Dagmar aan onder een reddingboot op gietijzeren wielen, kruipt op zijn buik over een ratelende laag inktvisschilden. Als hij overeind krabbelt, kijkt hij pal tegen een dertig meter hoge muur van zeildoek aan.

Achter hen heffen de monniken een lofzang aan. 'Moeder Zee zij geprezen: ze kunnen nergens heen!'

'Hang ze aan hun tenen op!'

'Ja doe dat en fluit de scholeksters!'

'Stelletje onbenullen,' zegt Gisbrandt. 'Maar één uitgang betekent nog niet dat je geen nieuwe kunt uitsnijden.' Hij vist een stanleymes uit zijn jaszak, schuift het lemmet uit. 'Jullie wereld heeft iets met messen, jongmaatje. Scherper, veel scherper dan de onze.'

Het mes glijdt inderdaad moeiteloos door het stugge zeildoek. Gisbrandt geeft een horizontale haal ter hoogte van zijn voorhoofd, twee omlaag.

Een manshoge flap doek ploft aan Gisbrandts voeten neer en ze kijken uit over het drooggevallen wad.

Gortdroge knekels en ribben knappen als broodstengels onder Neils zolen. In een wolk van verpulverde botten snellen ze over het Strand der Beenderen.

Aan de rand van het wad stopt Gisbrandt. 'Hier zijn we veilig. Geen monnik zal ooit over de botten van ordinaire zeelieden durven lopen. Eén stap en hun ziel is voor altijd besmeurd. Hij zou in zijn volgende leven terugkomen als een boormossel of een grauwe mus.'

Hij gespt zijn modderstappers onder.

'Scheepsgarth?' De abt staat in de donkere opening.

Gisbrandt trekt de laatste veter dicht en draait zijn hoofd.

'Wat kunnen we voor je doen, beste man?'

'Verzuipen misschien? Wij zijn aan de kathedraal gebonden en we mogen geen voet in de onreine wereld zetten. Anderen wel. Dienaren die minder devoot en veel hongeriger zijn dan wij.'

Hij knipt met zijn vingers. Een monnik reikt hem een krom snoeimes aan.

'Doe mijn wil,' zegt de abt plechtig, 'waar ik niet kan gaan.'

De abt houdt zijn hoofd scheef en hakt een grijze lok af. Hij opent zijn hand: de haren dwarrelen over het strand.

'Waar is hij nu weer mee bezig?' vraagt Neil. 'Iets godsdienstigs?'

'Ik kan het ook niet meteen plaatsen,' antwoordt Gisbrandt. 'Monniken zijn rare jongens.'

De abt heft zijn mes op. 'Dit was pas de eerste stap, Scheepsgarth.' Zonder enige aarzeling jaapt hij de punt in de muis van zijn duim. Hij wappert met zijn hand: druppels spatten over de botten en tanden.

'Krijg nu helemaal de klapperkoorts,' zegt Gisbrandt, 'bloed en haren. Ze moeten het strand ingezaaid hebben.'

'Ingezaaid?' zegt Neil. 'Ingezaaid met wat?'

'Blodlingzaden.'

De kiezenbanken sidderen. Schedels rollen weg, opzijgedrukt door bobbels roze vlees.

Tien, twaalf blodlings krabbelen uit de grond omhoog.

Ze ontbloten hun naaldtanden, snuiven. Hun oogkassen gapen: de groeiende ogen zijn nog niet meer dan witte kralen.

Ze zoeken ons, denkt Neil, hun prooi. Ze zijn minder dan een minuut oud, blind en doof en kunnen nog niets ruiken. Toch willen ze ons al te grazen nemen.

'Het wad op!' beveelt Gisbrandt. 'In de modder komen blodlings niet ver.'

'Dat is ook niet nodig, droggenvriend,' zegt de abt. 'Binnenkort komt de vloed op. Zie je hoe steil ons strand afloopt? Waar je nu staat, rijst het water straks tot boven je kruin.' Hij vouwt zijn handen voor zijn omvangrijke buik. 'Persoonlijk zou ik niet graag voor jullie keuze staan: een strand vol blodlingtanden of een waterig graf.'

Hij knikt hen minzaam toe en stapt terug in de schaduwen van de kathedraal.

'Misschien kunnen we om de kathedraal heen cirkelen?' zegt Neil. 'Vanaf het wad zag ik een zeil. Volgens mij moet er links van de kathedraal een haventje liggen.'

'Het valt te proberen,' zegt Gisbrandt. 'Ik heb zelf geen beter plan.'

Ze sjokken door de modder, waden tot hun middel door stroomgeulen. Het hinderlijkst zijn de banken met wilde Japanse oesters. Elke schelp is een bobbelig scheermes, dat je modderstappers moeiteloos aan flarden kan snijden.

De stilte begint Neil te benauwen: de enige geluiden maak je hier zelf. Bij elke stap hoort hij het kraakbeen in zijn knieën knakken, het suizelen van zijn bloed.

'Daar heb je Neils mast,' zegt Dagmar als ze uit een wel uitzonderlijk diepe geul klauteren. 'Het werd tijd.'

Een sloep met een mosgroen zeil dobbert aan het einde van een steiger.

'Goed dat ik hem opmerkte, hè?' zegt Neil.

Gefluit snerpt over het wad: de koppen van een dozijn blodlings wippen vanachter de reling op.

Elke blodling heeft de geknikte neus en het loensende oog van de abt.

'Een onbewaakt schip was ook te makkelijk geweest,' zucht Gisbrandt. 'De zeegoden hebben een hekel aan een goede afloop.'

Hij klapt het glas van zijn gouden horloge op, verstelt een draaischijf. 'Over een halfuur rolt de vloed aan. Tot boven mijn kruin zei de abt toch?'

'Kun je niets vouwen?' vraagt Neil. 'Een surfplank? Een reddingsvlot?'

'Niet zonder oliepapier. Er is een betere oplossing. De vloed komt op en weet je nog? Eb zuigt je naar de Eilanden, de vloed spoelt je naar het Geketende Land.'

Een bibberig lijntje wit schuift over de wadden. Daarachter glinstert de zee.

De eerste golf klotst over Neils schoenpunten. De tweede stijgt ongehaast tot halverwege zijn enkels.

'Zet je schrap,' bromt Gisbrandt.

Neil herinnert zich de vorige keer dat Stella's broer die woorden sprak. Toen werden ze midden in een ijskoude zee gedropt. Bij windkracht acht.

'Nog een pietseltje volhouden,' zegt Gisbrandt. 'Nog een ietsepietseltje tijd en we stappen over.'

Het water komt ondertussen tot Neils middel en alle gevoel is uit zijn benen verdwenen. Iedere derde golf slaat over zijn schouder.

Twee meeuwen cirkelen al zeker een kwartier boven hun hoofd. Hun gekrijs klinkt steeds ongeduldiger.

In Stella's sprookjes noemden vissers meeuwen steevast 'ogenpikkers'. Volgens Neils moeder omdat meeuwen het liefst met de ogen begonnen als ze op een aangespoelde drenkeling neerstreken.

'Donder op,' gromt Neil als een meeuw rakelings over zijn hoofd scheert. 'Ik heb mijn ogen zelf hard nodig.'

'Keer, getij, keer,' zegt Gisbrandt naast hem.

Godzijdank. Het werd tijd.

Gisbrandt schroeft de dop los. Hij giet het water van de Kromme Rijn uit in een golf, die zijn kin aantikt.

Het gekrijs van de meeuw wordt middenin afgekapt. Zwart asfalt ramt tegen Neils schoenzolen. De stank van benzine en hondendrollen vult zijn neusgaten.

'Naar de kant!' schreeuwt Dagmar. 'We staan midden op een snelweg!'

Koplampen doemen op. Neil grijpt Gisbrandt bij de elleboog, rukt hem achteruit. De vrachtwagen passeert met gierende remmen en een woedend loeiende toeter.

'Zo te horen zijn we weer thuis,' zegt Dagmar. 'Welkom terug in het Geketende Land, Gisbrandt.'

We moeten pappa bellen!

Ze zijn van wereld gewisseld, maar niet van plaats. Schokland steekt amper een halve kilometer verder boven de akkers uit. De machtige kathedraal is gekrompen tot een kerkje, de kades eindigen in de vette klei.

'Ik heb zelden zoiets treurigs gezien,' zegt Gisbrandt. 'Dat fiere eiland, gestrand tussen de suikerbieten!'

'Ik geloof niet dat ze hier suikerbieten verbouwen,' zegt Dagmar.

'Het gaat om het idee.'

De hemel is niet langer leeg en wijds ziet Neil. Straaljagerstrepen krassen het blauw. Van horizon tot horizon slingeren elektriciteitsmasten, draaien ijverige windmolens.

Hij begrijpt nu waarom de Eilanders dit het Geketende Land noemen. Alles is gepland, onder controle. Al het woeste en opwindende achter hoge dijken opgesloten.

Na enig zoeken ontdekken ze het enige open eethuisje. Neil schrokt zijn broodje met kroketten naar binnen, bestelt een tweede beker hete chocolademelk.

Dagmars portemonnee was gelukkig waterdicht: haar eurobiljetten bleven droog.

Neil veegt de mosterd van zijn lippen. 'Je zei dat je familie

Stella in een eenzame toren wilde opsluiten. Als een prinses in een sprookje. Waarom in vredesnaam?'

'Tja, de Stella Maris is het kostbaarste wat de Duizend Eilanden bezitten. Stel je een soort superkompas voor. Een dat je op elk moment van de dag precies kan vertellen waar je bent. Overal ter wereld, zelfs in een gierende orkaan, in een inktzwarte nacht.

Dat is de Stella Maris, de Vrouwe van de Behouden Vaart. Kijk, elke zeeman trouwt met de Stella voor hij zijn eerste stap aan boord zet. Het is een geheim en machtig ritueel. Zodra hij de huwelijkswijn drinkt, voelt hij de Stella in haar Hoge Toren.' Hij wrijft over zijn kin. 'Volgens de verhalen is het alsof een kaars wordt aangestoken op een maanloze nacht. Een kaars die je daarna elke seconde van je leven ziet stralen. Hij weet haar afstand tot op de halve meter, haar richting tot een honderdste graad. Andere volkeren moeten het met zeekaarten doen, onbetrouwbare kompassen. Wij hebben de Stella.'

'Hadden de Stella,' verbetert hij zich.

'De Eilanden zijn hun superkompas dus kwijt,' zegt Dagmar. 'Waarom kiezen ze geen andere vrouw? Laat iemand anders het liefje van een miljoen matrozen worden!'

'Alleen de oudste dochter van de Scheepsgarths is geschikt. Niemand anders.'

'Pappa zou daar niet blij mee zijn,' zegt Neil. Dit hele Stella-Maris-gedoe is zo vreemd, zo on-Nederlands, dat het bijna grappig wordt. 'Dat Stella nog een miljoen andere mannen...' Hij veert op. 'Pappa! We zijn al twee dagen weg. Richard moet gek van ongerustheid zijn! We moeten hem bellen. Nu.'

'O, shit, natuurlijk,' zegt Dagmar. 'Zo stom dat ik daar zelf niet aan dacht.'

De telefoon naast de damestoiletten slikt Dagmars kaart pas in als ze hem voor de tweede keer met de handdoek drooggewreven heeft.

Dagmar tikt het nummer in van Richards kantoor.

'Praat jij maar met hem. Het was jouw idee.'

Ze reikt hem de hoorn aan en drukt op de handsfree-toets. Nu kan ze zelf ook meeluisteren.

'Gulpepper en Brautigam,' zegt de receptioniste. 'Belasting-adviseurs. Met wie wilde u spreken?'

'Hoi, Lisette. Met Neil. Is mijn vader in de buurt?'

'Je vader.' Het blijft een seconde stil. 'Eh, sorry, met wie sprak ik ook weer?'

Neil zakt de moed in de schoenen.

Dit gaat net als met Bannink. Als in Stella's fabriek. Ze zijn vergeten wie Dagmar en ik zijn.

'Mag ik Richard, mag ik meneer Grevendal even spreken? Het is dringend. Het gaat over zijn kinderen.'

'Zover ik weet heeft meneer Grevendal geen kinderen. Bovendien is hij op het ogenblik in vergadering.'

'Het is dringend! Ik zweer het!'

'U kunt het beste later op de dag nog een keer terugbellen. Meneer Grevendal kan nu werkelijk niet gestoord worden.'

Neil kijkt Dagmar hulpeloos aan.

'Probeer oma,' zegt Dagmar. 'Weet je nog, die foto op Richards kantoor? Oma stond er samen met ons op.' Ze neemt de hoorn uit zijn hand. 'Mijn beurt.'

Oma Annemarth neemt op voor de bel helemaal over kon gaan. Waarschijnlijk liep ze juist langs het telefoonkastje bij de deur. 'Annemarth Grevendal.'

'Hoi, oma. Met mij. Dagmar.'

'Met wie?'

Dagmar legt de hoorn neer.

'Niemand herinnert zich jullie,' zegt Gisbrandt. Aan de toon hoort Neil dat hij niet anders verwacht had. 'Daar was ik al bang voor.'

Geen vader meer, denkt Neil, geen oma. Ik wed dat de kinderen van mijn klas mij ook al vergeten zijn. Dat meester Justin vandaag in de leraarskamer met mijn rekenschrift zwaaide en vroeg of iemand soms een zekere Neil Grevendal in de klas heeft?

Zonder Stella zijn we alles kwijt, iedereen. In Nederland is geen plaats voor Eilanderkinderen.

'Waar is mamma nu denk je?' vraagt Dagmar. 'We moeten terug! Haar opsporen.'

'Ik vermoed dat mijn broers doorzeilden naar Fryslan. Naar de terpen van onze familie.'

Dagmar springt op. 'Ik vraag wel een kaart aan de kroegbaas.'

'Dit moet het zijn,' zegt Gisbrandt ten slotte. 'De stad die jullie Leeuwarden noemen. De twaalf terpen van de Scheepsgarths liggen in het Lân fan Ljouwert.'

'Mijn vrouw is een Friese,' zegt de kroegbaas. Hij zet het wijnglas neer dat hij nu al zeker drie minuten aan het afdrogen is. 'Ljouwert is de echte naam van Leeuwarden.'

'Ah, mooi zo.'

'Meneer?' vraagt Dagmar. 'Wanneer gaat er een bus? We moeten naar een station. Het mag best klein zijn. Als er maar een trein naar Leeuwarden gaat.'

'De enige bus rijdt twee keer per dag.' De kroegbaas werpt een blik op de koperen klok boven de deur. 'Nee, al vertrokken.'

'Een taxi misschien?'

'Mijn neef in Urk vervoert soms gestrande toeristen.'

'Kun je hem even bellen? Alleen onze oom hier, hij komt uit Kazachstan. Hij heeft alleen goudstukken bij zich. Ik weet niet of uw neef...'

'Sjef vindt euro's maar raar speelgoedgeld. Met goudstukken zou je hem een groot plezier doen.'

Het is avond voor de trein het station van Leeuwarden binnen sukkelt.

'Het valt me mee van jullie,' zegt Gisbrandt. 'Ik dacht dat alle Nederlanders zo van haastje-repje waren. De bestuurder zette de trein toch mooi drie kwartier stil. Gewoon om eens lekker naar de grazende koeien te kijken.'

Neil vertelt hem maar niks over vertragingen of gebroken bovenleidingen. Dit is de eerste vriendelijke opmerking die Gisbrandt over Nederland gemaakt heeft.

'Blijven jullie hier nog lang?' informeert de agente als ze voor de derde keer langsloopt. 'Het staat een beetje in de weg, zo midden op het plein.'

Ze bekijkt de fel oranje opblaasboot, waarin Dagmar, Neil en Gisbrandt hurken. 'Is dit een soort protestactie? Van de Waddenvereniging misschien?'

'Nog maar een minuut of drie,' zegt Gisbrandt. 'Dan zijn we vertrokken. Eb ziet u.' Hij heft zijn peddel groetend op.

'Nou ja, jullie moeten het zelf maar weten,' zegt ze. 'Stelletje mafkezen,' hoort Neil haar mompelen.

'Ga je gang,' zegt Gisbrandt en Neil giet het flesje op de keien van het plein leeg.

De stenen rimpelen. Zodra de kringen de straatverlichting bereiken, doven de lantaarns.

Deze keer geen loeiende storm, geen omslaande golven.

Stilte en duisternis dalen over hen neer als zwarte sneeuw. 'Ah, eerlijk sterrenlicht.' Gisbrandt zucht van welbehagen. Hij steekt zijn peddel in het donkere water en ze varen het Lân fan Ljouwert binnen.

Wij bleven om te bijten

'Recht in de roos,' zegt Gisbrandt. 'Zie je die schuine toren voor ons? Met de blauwe lampen aan zijn windhaan? Drubbers Eilân. Stella en ik visten daar vroeger op ziltkikkers.'

Geleidelijk wennen Neils ogen aan het duister. Boerderijen op palen tekenen zich af tegen de sterrenhemel. Rekken met drogend zeewier worden zichtbaar. Rijen stokvis zwaaien in de avondbries.

De stilte is oorverdovend, beangstigend. Neil merkt dat hij zijn oren spitst om het geluid van een tv op te vangen, een optrekkende vrachtwagen.

Dagmar moet hetzelfde voelen. 'Hebben jullie geen auto's hier, Gisbrandt?' vraagt ze. 'Geen radio's?'

'Radio's zijn goed voor de weerberichten en de waterstanden. Wie wil er nu muziek uit een kastje? En al jullie brullende machines... Machines horen geruisloos te werken. Anders moet je ze smeren of beter afstellen.'

Daar zit wat in, denkt Neil. Al hoort een beetje motor natuurlijk goed hard te knetteren. 'Waarheen varen we eigenlijk?'

'Monkels Dûnshûs. Dat is een danstent voor rietsnijders.

De laatste plaats waar iemand een dure Scheepsgarth-meneer verwacht.'

'Gezellig hè?' schreeuwt Gisbrandt. 'De Wubbende Ockels zijn mijn favoriete hopsagroep.'

Stil is het beslist niet in Monkels Dûnshûs. Ongelofelijke kloteherrie is de enige juiste omschrijving.

Dat is vet luid, denkt Neil. Vergeleken met deze band hebben Nederlandse heavy-metalgroepen er niks van begrepen. Zijn het polderwatjes.

Nee, dan is dit het betere werk! Twee bandleden dreunen met een verweerd anker tegen een gong zo groot als een wagenwiel. Gebarsten kerkklokken beieren tot de kalk van de muren brokkelt. Een kooi vol papegaaien krijst onophoudelijk en soms nog op het ritme van de song ook.

Neil probeert de tekst van de zanger te volgen. 'Dû... leafde... yn oarwei!'

Onbegonnen werk, hoogstens een op de vijf woorden komt boven de papegaaien uit. Bovendien is het Eilanders Fries, dat niet meteen Neils beste taal is.

'We huren een kamer,' schreeuwt Gisbrandt in Neils linkeroor.

'Hier? In dit lawaai?' Een halfuurtje luisteren naar krijsende gekken is leuk. Met deze herrie proberen te slapen niet.

'Ja, het grote voordeel is dat we ongestoord plannen kunnen maken. Niemand kan ons afluisteren.'

Er is nog één kamer vrij, pal boven het podium. Neil begrijpt waarom. Bij elke hengst tegen de gong ziet hij de vloerplanken opwippen en hopst de wekker op het nachtkastje.

Gisbrandt rommelt in de onderste lade. Met een melancholieke glimlach legt hij een stoffig kladblok en een houts-koolstift op tafel.

'Van spreken word je schor!' schreeuwt hij in Neils oor. 'Schrijven is veiliger.'

'Vroeger huurde ik deze kamer twee keer per maand,' schrijft hij met hoekige letters. 'Met een vriendin. Daar is het kladblok nog van.'

Dagmar neemt de stift over. 'Werd dat nog wat met haar?'

'Famke was al getrouwd. Haar echtgenoot smeet me in de plomp en stuurde zijn sidderalen achter mij aan.'

Ja zeg, denkt Neil. Ga een beetje zitten te roddelen. Hij graait de stift uit Dagmars hand voor ze verdere details kan vragen. 'We gingen Stella redden!!! Wanneer?'

'Morgen,' antwoordt Gisbrandt. 'Mijn vader heeft haar vast in de bietenkelder opgesloten. Muren van dertig centimeter dik pantserglas, ijzerhouten sloten.'

'Waarom redden we haar niet nu meteen?'

'Wou je dood? 's Nachts bij de terp aanleggen is zelfmoord. Vader laat de veelvraten om halfnegen al los.'

'Wat zijn veelvraten?' informeert Neil. De naam klinkt niet bijzonder dreigend. Eerder grappig.

'Een kruising tussen een panter en een beer. Woester en valser dan beide. Morgen sluipen we het familiehuis in. Zodra de veelvraten veilig in hun kooien zitten.'

Exact te middernacht stoppen de Wubbende Ockels. Neil hoort voetstappen onder het raam langslopen, gemurmel, het gekletter van roeispanen.

'Mieke trek je baaljork an!' joelt een dronken stem. Zijn lied eindigt in een luide plons.

Mooi zo, denkt Neil. Nu kunnen we eindelijk gaan slapen.

'Dit is niks,' zegt Gisbrandt de volgende ochtend. Hij schopt tegen de oranje opblaasboot, die log een centimeter of drie over het grasveld schuift. 'Bij de eerste glimp weet elke Scheepsgarth dat wij het zijn. Knetterend oranje en even elegant als een aangespoelde kwal. Enkel Geketende Landers durven de zee met zo'n wangedrocht te beledigen.'
'Je hebt hem anders zelf gekocht,' zegt Neil. Dat gevit op Nederland begint hem de keel uit te hangen.
'We huren een echte boot,' zegt Gisbrandt.

Neil leunt achterover in zijn zitje. De gehuurde kajak is slank als een hondshaai. Hij had een luchtspiegeling kunnen zijn, zo kalm en geruisloos glijdt hij over het water.
Neil tikt op de grijze romp. 'Wat is dit voor materiaal? Het lijkt een soort plastic, maar er groeien haren op.'
'Zeekoeienleer,' zegt Gisbrandt. 'Een goede kajakbouwer laat niets verloren gaan. Hij gebruikt de ribben als spanten, de ruggengraat als kiel.' Hij wijst met zijn peddel. 'Als je goed kijkt zie je de kop nog op de voorsteven.'
Ineens herkent Neil de plooien en vlekken als uitgerekte neusgaten, dichtgenaaide oogleden.
Getver. We varen in een beest. Een uitgehold en opgezet beest.

Ze glijden onder een brug door en komen op een binnenmeer uit.
'De terpen van de Scheepsgarths,' zegt Gisbrandt. 'Skipswarder ligt in het midden, de kleinere terpen in een kring eromheen. Zie je al die hangbruggen? Net een web van glimmend wilgenhout. Skipswarder is de volgevreten kruisspin in het hart van het web. Zo denken onze vijanden er in ieder geval over.'

Ze passeren een kring molentjes met spiegelende wieken. Bij het geringste briesje gieren hun wieken en sproeien ze zonnevonken over het water uit.

'Gebedsmolentjes,' zegt Gisbrandt. 'Op elke wiek staat een woord van het populairste matrozengebed: "Heilige Nicholas, geef ons gunstige wind en kalme zee." Dag in dag uit kaatsen ze het de hemel in. Waar Sint Nicholas aandachtig luistert. Naar wij mogen hopen.' Hij zoekt de ijverig draaiende rij af. 'Mijn eigen molentje moet ergens links draaien. Het is makkelijker dan zelf bidden. Bovendien maakt het minder lawaai.'

Skipswarder ziet er verlaten uit, denkt Neil. De roodgeel gelakte stormluiken potdicht, geen rook uit de schoorstenen. Vanaf de dakgoot van de toren turen twee raven omlaag.

'Leggen we hier aan?' vraagt Neil.

'Jij gaat aan land. Mijn familie verwacht me. Zodra ik één laars aan wal zet, kun je hun ziltkikkers tot in het Hoge Land horen kwaken.'

'Waakkikkers?'

'Goedkoper dan honden. Wij Scheepsgarths zijn rijk geworden door op de stuivers te letten.'

Met een ritselend schuren boort de neus van de kano zich in het riet. 'Trek je schoenen uit. Het water komt hoogstens tot je knie.'

'En als ik op het eiland ben?'

'Zoek Stella. We moeten weten of ze werkelijk in de kelder opgesloten zit.'

'Hoe?'

'De kelder heeft een bovenraam, links naast de hoofdingang.'

'Waarom mag Neil verkennen en ik niet?' protesteert Dagmar. 'Ik ben ouder! Sterker.'

Die stomme Dagmar, denkt Neil. Ze wil altijd de baas spelen. 'Meisjes zijn beroerde spionnen. Ze kunnen niet eens sluipen.'

'Het gaat om je geur, Dagmar. Moeders en dochters ruiken vaak hetzelfde. Zodra de ziltkikkers je opmerken, denken ze dat je Stella bent. Ontsnapt.'

'Oké,' zegt Dagmar. 'Goed. Maar ben je wel een beetje voorzichtig, Neil?'

Alsof ik Stella zelf hoor, denkt Neil. Bang dat alles faliekant in de soep loopt zodra iemand anders dan zij iets onderneemt.

Neil is halverwege het huis als hij een deur hoort slaan. Hij duikt achter een struik weg en blijft doodstil zitten.

'Bij 't dansend goudgeel morgenlicht,' galmt een lied over het water. 'Denk ik aan u, mijn Heer!'

De stem wordt onverstaanbaar als de vrouw achter het huis verdwijnt.

Getver, vast zo'n vreselijk actief ochtendmens.

Neil zul je in de morgen nooit met een blije glimlach aan de ontbijttafel aantreffen.

'Scheeps Garth, jij?'

Op hetzelfde ogenblik krast een nagel over Neils blote kuit. 'Wie...'

Twee blodlings hurken vlak achter hem in het hoge gras. Ze hebben hun gerimpelde gezichten naar hem opgeheven.

'Ruikt als ons, ja,' zegt de tweede met een krakende stem. 'Scheeps Garth.'

Neil ontspant zich. Ze zijn nieuwsgierig, geen grommende bloedhonden.

'Scheeps Garth, ja, allenig... welke?' De blodling kijkt Neil vragend aan. Neil herkent Gisbrandts neus in het miniatuurgezicht, Stella's wenkbrauwen.

Gisbrandt en Stella, maar kale hoofden. Rimpels. Stella's vader moet deze blodlings gezaaid hebben: uitgetrokken haar, een druppel bloed.

Hij staart gefascineerd naar de gezichtjes.

Zo zie je er dus uit, opa Gebbe. De geheime grootvader die ik vroeger op mijn verjaardagsfeestjes zo gemist had.

De grootste blodling plukt aan Neils broekspijp. 'Welke Scheeps Garth jij, jij?'

Dat brabbeltaaltje klopt niet. Stella's kleine zuster sprak redelijk normaal en kwam een stuk intelligenter over.

Ze zijn opgebrand, realiseert hij zich. Bijna aan het eind van hun driedaagse leven.

'Maakte Gebbe jullie? Mijn opa Gebbe?'

'Kleinzoon!' kraait de blodling. 'Ja, opa Gebbes kleine broers wij.' Hij snuffelt enthousiast aan Neils kuit. 'Je ruikt als kleinkind.'

'Wij moesten wachten en waken,' legt de tweede uit. 'Iedereen happen die geen Scheepsgarth is. Hiermee.' Hij opent zijn mond om zijn wapens te tonen. Doorzichtige naaldtanden glitteren. 'Onze grote broer gaf ons addertanden. We bleven om te bijten.'

Leuke opa, denkt Neil. Nou ja, wat kun je anders verwachten van een vader die zijn dochter in een eenzame toren wil opsluiten?

'Weten jullie waar Stella is? Ik...' Hij waagt het erop. 'Ik moet Stella meenemen. Van jullie grote broer. Van Gebbe.'

'De Stella,' zegt de grootste. 'Ja, ja, wij weten waar de Stella is!'

'Weg, o weg!' De tweede wipt in zijn opwinding van de ene

pol zegge naar de andere. 'Eerst schrobden de bisschop en zijn wijze priesters de Stella met azijn en kwallendrab.'

'Kwallen, ja ja, en gemalen zeekomkommers,' valt de tweede in. 'Van top tot teen.'

'Zij knipten haar haren af, wreven haar in met gemalen zeesterren. Tot geen stofje, geen distelpluisje van het Geketende Land meer aan haar kleefde.'

'En de Stella rein, rein, rein was!'

'Toen, voor de eerste ochtendvogels zongen, voeren ze met haar weg. Van je heiho, heiho. Naar de Hoge Toren.'

Wat een idiote pech! Ze namen Stella mee terwijl wij nog op een oor lagen te snurken. Omdat we geloofden dágen de tijd te hebben.

'Welke kant uit?'

De grootste blodling steekt zijn neus in de lucht en snuift.

'Ruik haar. Spoor nasnuffelen?'

'Dat lijkt me geen slecht idee.'

De trap van de tienduizend doorns

'Kunnen we ze vertrouwen, Gisbrandt?' fluistert Dagmar. De twee wezentjes klemmen zich aan de boeg van de kajak vast, luidruchtig snuffelend.

'Blodlings erven nooit meer dan een plukje ziel van hun grote broers. Deze wezentjes zijn te onvolledig om rottige plannetjes te verzinnen. Zover ze weten helpen ze een geliefde kleinzoon zijn moeder te vinden.'

'Rechts, rechts!' kwettert een blodling. 'Het spoor buigt rechtsheen!'

'Kunnen we niet pijlsnel naar Stella's Toren doorroeien?' vraagt Neil. 'Zodat we er eerder aankomen dan de priesters?'

'De Toren staat levensgroot op elke kaart aangekruist. Toch kunnen alleen zeelieden haar vinden.'

'Een doolhof bedoel je? Net als op Stella's amulet?'

'Zo'n beetje. Al kun je net zo goed een potvis met een stekelbaarsje vergelijken. Dit doolhof werd zestien meter hoog in de muren van de Toren gemetseld. Achttienduizend gangen. Niemand heeft de bochten ooit kunnen tellen. Hun kracht maakt al het omliggende land even ingewikkeld.'

'Nu naar links,' roept een blodling. 'Die opening in het riet.'

'Ik zie anders nergens een opening,' klaagt Dagmar die het roer met haar voeten bedient.

'Vaar nu maar op het riet af.'

Het riet lijkt inderdaad een ondoordringbare muur van groen. Om over de verraderlijke slingers braamtakken maar te zwijgen.

Ik hoop dat Gisbrandt weet wat hij doet...

Vlak voor de boeg zich in de oever boort, schuift het riet opzij en vervagen de braamtakken.

Voor hen ligt een wijde vaart.

'We zaten al in het doolhof!'

'Het afgelopen halfuur. Niet een van de rieteilandjes en moerasbossen die we sinds Wolffs molen passeerden, bestaat werkelijk.'

Tot twee keer toe varen ze dwars door een metersdikke boomstam. Neil sluit zijn ogen niet eens meer als takken op zijn gezicht af zwiepen.

Midden in een haal trekt Gisbrandt zijn peddel uit het water en laat hij de kajak uitvaren. 'Stil eens. Ik hoorde stemmen.'

Een kanaal verder schraapt een zeekoe zijn keel en stoot vervolgens een indrukwekkende brul uit. Ziltkikkers gakken als broedse ganzen.

Een vlaag gezang drijft op de wind aan, zakt weg.

'Zo'n antiek lied,' zegt Gisbrandt. 'Met een beetje geluk zingen priesters het niet vaker dan eens in de zeventig jaar. Stella's worden oud.' Hij begint onwillekeurig mee te neuriën.

  'Wij brengen de Stella,
  de Ster van de Zee
  naar haar Toren zo hoog,

waar zij de Kaars zal zijn,
de Kaars in de Nacht
voor alle verdoolde matrozen.'
Drie handklappen en het lied begint van voren af aan.

Het gezang zwelt aan tot Neil elk woord kan verstaan.
Roeiriemen plonzen in het water.
Ze moeten Stella's ontvoerders op de hielen zitten.
Een nieuwe bocht en de kronkelige vaart stroomt uit in een meer.
'Krijg de grauwe boormossels!' sist Gisbrandt. De andere boot is vlakbij. Drie krachtige halen met de peddel en ze botsen tegen de achtersteven.
'Bukken!' Hij stuurt de boot achter een dobberend rieteilandje. 'Dat was op het kantje af. Zuiver geluk dat niemand omkeek.'
Neil wordt zich gaandeweg bewust van de vreemdheid van zijn nieuwe omgeving.
Dit is een meer uit een droom. Of eerder uit een nachtmerrie. Alles is onophoudelijk in beweging, geen detail blijft langer dan een paar seconden hetzelfde.
Eilandjes rijzen geruisloos uit het diepgroene water op. Ze groeien kerktorens en boerderijen om in een hartenklop tot mist te verwaaien.
De Hoge Toren is even veranderlijk.
Bij de eerste aanblik leek hij Neil een Gotische kerktoren. Zo'n massief geval met honderden grillige torentjes en glurende waterspuwers. De stenen verschuiven en hij wordt een Chinese tempel, een moskee, een granieten zuil.
Alleen de afmetingen blijven dezelfde.
De toren is wezenloos hoog. Schoklands kathedraal zou als speeltentje aan zijn voet kunnen staan.

'Hoe hebben jullie ooit zoiets onzinnig groots kunnen bouwen?' vraagt Dagmar. 'Dat moet jullie tientallen jaren gekost hebben.'

'Anderhalve eeuw. De Eilanden kijken niet op een goudstuk. Geen paleis is te groot voor onze Stella.' Hij klapt zijn toneelkijker open.

'Eens zien. Ja, mijn oude vader en drie broers. Meneer de bisschop met vijf priesters. Een matroos om de weg terug te vinden.' Hij trommelt op het leer van de boot, tuit zijn lippen. Ten slotte schudt hij zijn hoofd. 'Ze zijn met te veel. We moeten wachten.'

'Geef mij je kijker eens?' zegt Neil.

Stella zit kaarsrecht in de voorplecht, met haar rug naar de toren. Haar blonde haar is zo kort afgeknipt dat het meer dan ooit op poolvossenbont lijkt.

'Stella...' Ze trekt aan hem als een intens krachtige magneet, aan elke cel van zijn lijf. Neil wil in haar armen springen en haar nooit, nooit meer loslaten.

'We wachten tot ze haar op de aanlegsteiger hebben neergepoot,' zegt Gisbrandt. 'De Stella moet de trap van de Toren vrijwillig beklimmen, zie je. Niemand mag toekijken.'

'Ze laten haar straks alleen?' vraagt Neil.

'Krek zo. Wij pikken mijn zuster op en leven nog lang en gelukkig. Eind goed al goed. Zoals de beul zei toen hij de rechterhand van de zanddief afhakte.'

'Gis Brandt?' Een van de blodlings kijkt hem met een scheef kopje aan. 'Wij hebben de Stella gevonden, ja toch?'

'Dat klopt,' zegt Gisbrandt. 'Jullie hebben mijn toestemming om te sterven.'

Net als Stella's blodling! denkt Neil. Nee, niet weer. Ik wil niet zien hoe ze uit elkaar vallen.

Hij perst zijn knokkels tegen zijn oogleden.

Een amper hoorbaar gesis, het knisperen van verschrompelend vlees, knappende botjes.

Als Neil zijn ogen opent, is de voorplecht leeg.

Zelfs met het blote oog is de trap prima zichtbaar. Hij zigzagt omhoog van overloop naar overloop, brede treden van sneeuwwit marmer. De trap is het enige onderdeel van de Toren dat nooit verandert.

De broers tillen Stella uit de boot en snijden de leren boeien om haar enkels los.

'Dit is een heuglijke dag!' De bisschop zwaait met een rokend wierookvat, strooit handenvol schubben over de treden. 'Klim, O, Stella Maris,' galmt hij. 'Klim, O, Kaars in de Nacht. Waak de rest van Uw leven over onze schepen en zielen!'

'Jullie kunnen de klere krijgen!' schreeuwt Stella. Ze schopt het gouden wierookvat uit zijn handen en het plonst met een nijdige sis in het meer. 'Ik hoop dat al jullie schepen op de klippen lopen!'

Stella spuugt aan zijn voeten en beent de trap op.

Vroeger schaamde Neil zich vreselijk als Stella haar geduld verloor. Als ze een of andere keuteltrut of bemoeihannes de huid volschold. Nu gloeit hij van trots.

'Valse vrouw!' krijst een priester haar achterna. 'Je ziel zal voor eeuwig verzuipen... In, in, in een meer van kattenpis!'

'Zwijg, man!' Grootvader Gebbe grijpt hem bij de schouders, schudt hem door elkaar. 'Je spreekt tegen de Kaars in de Nacht! De Stella Maris die zonder Blaam is!'

De bisschop knikt. 'Bidt Haar negen dagen om vergiffenis, Hesse. Op je blote knieën en zoek een goed harde kiezelvloer uit. Daarna meld je je bij de tuinman voor twee maanden zeewierwieden.'

Grootvader Gebbe geeft een ruk met zijn hoofd. 'We vertrekken. Laat mijn heilige dochter in alle rust naar Haar nieuwe woning klimmen.'

De roeiboot glipt weg achter een rij wilgen, die prompt in windmolens veranderen. Gisbrandt wacht tot het gezang van de priesters is weggestorven. Daarna peddelt hij de kajak zo snel mogelijk naar de stenen aanlegsteiger.

'Stop, Stella, wacht!' Neil springt aan land en rent de eerste treden van de trap op. 'We komen je redden!'

Zijn moeder is tot een piepklein figuurtje op de zesde overloop gekrompen. Niet groter dan een tinnen soldaatje.

'Neil? Neil!' Ze stormt de treden halsoverkop af.

'Dagmar is er ook!' roept Neil. 'En je broer Gisbrandt!'

Stella is tien treden van de kade als de trap siddert. Kromme stekels schuiven knarsend uit de steen aan Stella's voeten.

Stella deinst terug. 'Heilige San Nicholas, wat is dit nou weer voor ongein?'

'Springen!' Gisbrandt snelt naar voren en spreidt zijn armen. 'Ik vang je op!'

Met een spottend getinkel groeien de stekels uit tot slagtanden, messcherpe haken. Stella zakt door haar knieën, spreidt haar armen.

'Nee!' roept Gisbrandt. 'Probeer het niet. Ze hakken je aan flinters!'

Stella komt doodsbleek overeind. De haag van diamanten doorns en kromzwaarden reikt tot haar middel.

Het marmer onder haar voeten beweegt en Stella stapt haastig een trede hoger. Vier seconden later is ook de elfde trede onbegaanbaar.

'De toren drijft me omhoog, Gisbrandt. Weet niemand een goede list, een briljant plannetje?'

Ze stommelt verder de trap op als drie treden tegelijk doorns uitschuiven.

Pas op de eerste overloop stoppen de doorns een moment met groeien.

Stella kijkt omlaag en Neil kan haar verlangen bijna voelen, haar teleurstelling.

'Neil en Dagmar.' Ze likt over haar lippen. 'Ik hou van jullie.'

Het klinkt vreselijk sentimenteel, maar Neil weet dat je zulke dingen niet anders kunt zeggen.

'Ik ook van jou!' roept hij terug. Fluisteren is voor lafaards.

'Gisbrandt, je bent de beste broer die een meisje zich kan wensen.' Ze draait hen de rug toe en begint de trap te bestijgen. De doorns stromen haar achterna in een glinsterende vloed.

'We komen terug!' schreeuwt Dagmar. 'Heus!'

'Ik krijg je uit deze ellendige toren weg, zuster! Al moet ik hem tot de laatste steen afbreken.'

'Tot ziens dan maar.' Stella wuift voor de laatste keer.

Neil de scheepsjongen

'Volgens mij was het linksaf, Gisbrandt,' zegt Dagmar. 'Bij dat bosje lisdodden.'

'Dat bosje was een halve seconde eerder nog een waterhoennest. We zitten in een doolhof, joffer. Niets is wat het lijkt.'

'Dan zijn we dus verdwaald. Geef het nu maar eerlijk toe.'

'Zoals de zandschepper tegen de gids zei. Toen ze voor de zevende keer langs dezelfde cactus sjokten. Je hebt gelijk vrees ik. De enige die de weg door dit doolhof weet te vinden, is een zeeman.'

Gisbrandt draait peinzend aan zijn linkeroorbel. 'Zoveel mogelijk rechtdoor lijkt me de beste oplossing. Afwisselend links of rechts zodra we tegen iets onzichtbaars opbotsen.'

De zon treuzelt boven de moerasbeuken als Monkels Dûnshûs uit de avondnevels opduikt. Ze hebben meer dan negen uur door de doolhof gezworven.

Ze zijn de enige gasten. Gisbrandt bestelt drie kommen mosterdsoep met moten bruinvis en ze verkassen naar de open haard.

'Weet niemand een list?' vraagt Gisbrandt. 'Of een briljant plan zoals Stella vroeg?'

'Hoe hoog is Stella's toren eigenlijk?' wil Neil weten.

'Anderhalve Eilandse mijl. Laat me even rekenen. Ja, zo'n drie van jullie kilometers.'

'Mooi. Dat is hoog genoeg om naar beneden te springen.'

'Hoog genoeg? Jongmaatje, zelfs als je van een halve mijl met je voeten recht omlaag in het water landt, breek je nog elk bot in je lijf.'

'In Nederland hebben we parachutes. We kunnen desnoods uit een vliegtuig springen en toch veilig landen.'

Dagmar legt haar lepel neer. 'Stella heeft het in de herfstvakantie gedaan weet je. Parachutespringen op Texel. Niemand van ons durfde mee te doen.'

'Soms vinden jullie in het Geketende Land nuttige zaken uit,' geeft Gisbrandt toe. 'Denk je dat Stella zelf zo'n parachute kan vouwen?'

'Vast wel. Zo moeilijk is het niet.'

'Wat heb je allemaal nodig voor zo'n parageval? Een aak vol adelaarsveren? Tienduizend vleermuisvleugels?'

Neil schiet in de lach. 'Welnee. Gewoon touw, heel veel touwtjes. Plus een lap zijde zo groot als drie achtertuinen.'

'Een rol touw en twee zijden zakdoeken dus,' zegt Gisbrandt. 'Neil, we sturen jou de trap op naar Stella.'

Zákdoeken? denkt Neil. Ach natuurlijk, Stella kan een zakdoek zo groot uitvouwen als ze zelf wenst.

'Waarom twee?'

'Iemand moet de zakdoeken toch naar Stella brengen? De trap laat je omhoogklimmen maar niet omlaag. Jij bent het lichtst. Is dat niet belangrijk bij het springen?'

'Springen! Ik moet met Stella meespringen? Omlaag?' Zijn stem schiet omhoog tot een ongelukkig piepje.

'Doe niet zo moeilijk, Neil,' zegt Dagmar. 'Stella heeft het al acht keer overleefd. Die laat je heus niet te pletter vallen.'
'Oké dan.'
Neil vindt het allerminst oké, maar de redenering klopt. Hoe lichter en leniger, hoe groter de kans dat je heel neerkomt. Gisbrandt is te zwaar en botten van grote mensen breken makkelijker. Dagmar is niet bepaald sportief. Blijft over: Neil.

'Ons grootste probleem wordt het terugvinden van de Toren,' zegt Gisbrandt. 'Een nieuwe blodling zaaien heeft geen zin meer. Stella's geurspoor is intussen verwaaid.'
'Matrozen wisten toch altijd de weg naar de Stella?' zegt Neil. 'Desnoods met hun ogen dicht?'
'Leuk bedacht, alleen werkt het niet. Geen matroos zou ooit wallekanters als wij naar de heilige Toren van zijn Stella leiden. Hij snijdt nog liever zijn tong af.'
'Niet als ik jullie matroos ben.'

Lang voor de eerste masten boven de magrovebomen uitsteken, vangt Neil het geloei van kinkhoorns op. Matrozen vouwen zeilen op terwijl ze in de maat op de grond stampen, uit de dûnshûzen schalt hopsamuziek.
'De haven van Ljouwert slaapt nooit,' zegt Gisbrandt wanneer hij op de kade afstuurt. 'Familieleden sluiten hun ogen enkel om de beurt.'
'Wij staan voor u klaar, vierentwintig uur per dag, zeven dagen in de week,' knikt Dagmar. 'Dat was de reclamekreet van Stella's afdeling,' verduidelijkt ze. 'Alleen nam niemand de telefoon meer op na halfzes.'

Een horde verkopers snelt toe zodra Neil zich op de kade hijst.

'Kek ankertje zetten?' Een tatoeëerder grijpt Neils pols vast en stroopt Neils mouw alvast op. 'Stella tattoos zijn vannacht voor de halve prijs!'

'Ik hoef geen anker!' Neil rukt zich los en duwt de hand met kleurige naalden weg. 'En al helemaal geen Stella!'

'Gesuikerde zeekomkommers!' Een meisje houdt Gisbrandt een mand met gerimpelde, grijze misbaksels onder de neus. 'Pekelverse anemonen met gemalen haaientanden dan? Prima tegen de reumatiek!'

'Ik heb geen reumatiek en wil dat graag zo houden.' Met een armzwaai veegt Gisbrandt de opdringerige verkopers opzij. 'Potjandossimos! We willen enkel en alleen in alle rust naar het Stellarium banjeren.'

'Ah, u heeft besloten om zeeman te worden,' knikt de tattooman. 'Mooi beroep. Ik wacht voor de deur, goed? Want als u naar buiten komt, wenst u natuurlijk een prachtig anker!'

'Ik ben veel te oud voor matroos. Het gaat om mijn neefje hier.'

'Aha. Goed, vrees niet te verdwalen, want ik wijs de weg. Uw neef krijgt het mooiste anker dat naalden kunnen prikken!'

'Momentje.' Gisbrandt stopt bij een kraampje met manden vol vaalroze knikkers. Hij pakt een kleverig trosje op, snuift eraan, knijpt. De knikkers lillen als klodders drilpudding op zijn handpalm.

'Wat is dat voor smerig spul?' vraagt Dagmar. 'Het lijkt wel roze biggenvel.' Ze kijkt van dichterbij. 'Jasses, er groeien haren op!'

'Verse blodlingzaden. Je weet nooit wanneer we een nieuwe kleine zuster nodig hebben. Ik krijg het begin van een idee...'

'De bisschop gebruikte zijn eigen haren,' zegt Neil. 'Hoe kwam jij aan Stella's haar voor een kleine zuster?'

'Stiekem.' Gisbrandt trekt een witblonde vlecht onder zijn riem vandaan. 'Op haar achtste knipt elk meisje haar vlecht af. Moeders hangen ze trots boven de barometer op. Ik haakte Stella's vlecht los voor ik naar Nederland vertrok.'

Gisbrandt trekt aan de mouw van de doezelende verkoper. 'Meneer?'

De verkoper blijft onaangedaan doorsnurken.

'Meneer!' Gisbrandt bonkt zo hard met zijn vuist op de toonbank dat de mandjes met blodlingzaden opspringen. 'Een klant, sloompie slaapkop! De klant van je stoutste dromen!'

De man schiet overeind en tuimelt met kruk en al om.

Als hij omhoog krabbelt, is hij klaarwakker.

'Klant van mijn stoutste dromen, zei u?'

'Dit is je geluksdag en laat mij de eerste zijn om je te feliciteren.' Gisbrandt slaat hem op de magere schouders. 'Ik wil je volledige voorraad kopen.'

'Mijn volledige voorraad? Hoe...' De man schudt zijn hoofd. 'Dat gaat mij uiteraard niets aan. De klant is als de noorderstorm, zei mijn goede vader altijd. Wij handelaren varen waarheen hij ons blaast. Toch, meneer, mijn hele voorraad. Dat zijn voldoende blodlings voor vijftig jaar...'

'Een halve eeuw lijkt me lang genoeg,' zegt Gisbrandt. 'Heeft u misschien een waterdichte rugzak voor ons om de zaden te vervoeren?'

'U staat voor uw bestemming, beste toekomstige klant,' zegt hun gids.

Het Stellarium ligt pal naast het gemeentehuis, in de deftigste wijk van de stad.

Neil inspecteert de bladderende luiken, de roestende sterren

op het dak. Mos hangt in dorre slierten van een rij vrouwen-beelden. 'Jullie Stellarium kan wel eens een verfje gebruiken.'
'Niemand klopte de laatste zestien jaar aan,' zegt Gis-brandt. 'Dat had ook weinig zin zonder Stella.'
Hij klapt in zijn handen: 'Ahoi! Volk! Misschien wisten jul-lie het nog niet, maar jullie hebben weer een Stella!'
'Ik kom al, ik kom al!' antwoordt een gedempte stem. 'Zoals de koster jammerde toen hij alle driehonderdzestig treden van de Sint Jacobuskerk afdonderde.' Een zijdeur wordt onder piepend gesnerp opengewrikt.
'Een oprecht aangename avond gewenst.' De man draagt lieslaarzen met geborduurde sterren. Een mantel van ver-weerde netten hangt om zijn schouders. 'Ik ben de Hand van de Stella. Ik kneed eerlijke matrozen uit waardeloze wallekantersklei.' Hij houdt zijn vuistdikke kaars op om hun gezichten te bestuderen. 'Wie hebben we daar? Laat mij raden: drie gloednieuwe zeebonken!'
'Eigenlijk alleen ik.' Neil stapt naar voren. 'Mijn zusje is een meisje en Gisbrandt is te oud.'
'Jij wilt dolgraag een scheepsjongen worden, is dat het? Met de zoute pekelzee in je aderen en de woeste novem-berstorm in je haren?'
'Zoiets ja.'
'Kom binnen.' Hij heft zijn handen afwerend op als de an-deren Neil willen volgen. 'Nee, nee, jullie blijven buiten! In het Stellarium is geen plaats voor wallekanters.'
'Ik zie je over een uur of zo,' zegt Gisbrandt. 'Veel succes, Neil.'

De Hand van de Stella gaat Neil voor door gangen vol zwierende spinnenwebben. De vierde knerpende deur geeft toegang tot een binnenplaats.
'Kijk naar je voeten,' beveelt de man. 'Wat zie je?'

Het duurt even voor Neils ogen aan het maanlicht gewend zijn. Op het marmer zijn slingerende lijnen getrokken. Ruwe cirkels, vierkantjes, uitgerekte bobbels. Plotseling herkent hij de laars van Italië in de vlekken, de hoekige omtrek van Spanje.

'Een kaart?'

'Klopt. Een kaart van heel onze wijde wereld.' De Hand zet zijn sputterende kaars neer tussen de Duizend Eilanden. 'Dit hier: de Kaars in de Nacht. De Stella Maris die de geliefde en godin van alle zeelieden is.' Hij graait in zijn netten rond en trekt triomfantelijk een fles te voorschijn. 'En hier, de Kruik die Nimmer Leeg Zal Raken!'

Een bruine nagel prikt in Neils buik. 'Luister, elke, elke Stella die ooit geleefd heeft, mengde een druppel van haar bloed door deze wijn.'

Zijn andere hand, als in een goocheltruc, graait een glas uit de lege lucht.

De man schenkt de wijn zorgvuldig in, niet meer dan een bodempje. 'Drink en neem de Stella tot bruid.'

'Bruid?'

'Tja, jij bent inderdaad een beetje te jong om te trouwen. Ik vermoed dat ze voor jou meer als een moeder zal aanvoelen? Als een tweede, heilige moeder.'

Het kost Neil de grootste moeite om niet te grijnzen. 'Dat kon best wel eens kloppen.'

De wijn is bremzout en intens bitter tegelijk. Niet kinderachtig zijn! Neil perst zijn nagels tegen zijn handpalmen en slikt het smerige bocht door.

Alles verandert.

Neil zweeft hoog boven de aarde. Hoger dan een albatros, hoger dan een adelaar.

Dit is geen kaart, geen ruwe lijnen op marmer of papier. Hij kan elk eiland en elke palmboom op elk eiland zien. Hij kan de kamelen tellen die over de duinen van de Sahara sjokken en de zandvlooien op die kamelen.

In het hart van die enorme levende kaart straalt een ster. Het is de Stella Maris, begrijpt hij, de Kaars in de Nacht.

Neil draait tot hij in de richting van zijn moeder kijkt. Ze lijkt zo dichtbij dat hij de geur van Stella's haar kan ruiken. De warmte van haar lichaam straalt hem tegemoet. Zonder het zelf in de gaten te hebben strekt Neil een arm uit en wijst.

Hij is een kompas geworden, een levend kompas.

'Het westen,' fluistert hij, 'vijfenveertig kilometer en drie-honderdzestig meter.'

'Dat is volkomen juist,' zegt de Hand.

De wereldkaart vervaagt. Neil blijft de aanwezigheid van zijn moeder echter voelen. Geen doolhof kan hem in de war brengen: hij zal haar desnoods geblinddoekt vinden.

De hand steekt zijn hand uit. 'Laat mij de eerste zijn om je te feliciteren. Je bent nu een matroos! Een scheepsjongen derde klas om precies te zijn.'

Kleine zusters

De Hand van de Stella trekt de grendel omlaag en de poort zwaait open. Gisbrandt en Dagmar leunen tegen een fontein met gevleugelde walvissen.

'Veel nieuwbakken matrozen uiten hun vreugde trouwens door de Hand van de Stella een fooi te overhandigen,' mompelt de man. 'Een royale fooi gewoonlijk.'

Neil grinnikt. 'Zoals de Hand van de Stella tegen de scheepsjongen derde klas zei. Die nog geen stuiver op zak had.'

Zie je? Ik begin het al te leren.

'Gisbrandt! Betaal jij deze meneer even?'

'Neil Scheeps Garth?' Het kopje van een blodling piept uit Gisbrandts kraag omhoog. Ze heeft Stella's gelaatstrekken, maar dan op poppenformaat.

'Kleine zuster, je leeft weer!'

'Ik ben een kleine zuster, ja. Gis Brandt groeide mij uit een haar van de Stella.'

Niet dezelfde dus. Gisbrandt heeft bloed op een blodlingei gedruppeld, een haar uit Stella's vlecht toegevoegd.

'Tijd voor een kek ankertje!' De tattoo-man wipt als een duveltje uit een doosje te voorschijn. 'Een matroos kan niet zonder!'

'Och, waarom ook niet?' Neil stroopt zijn mouw op.

'Doe niet zo stom!' zegt Dagmar. 'Richard krijgt een rolbe-roerte als hij je ziet!'

'Pff. Jij heb een piercing in je navel. Dat is veel erger.'

'Mijn grote zus zal het anders best wel prachtig vinden,' zegt de blodling. 'Ankers zijn zilt.'

Dagmar kijkt naar Gisbrandt op. 'Alsjeblieft. Verbied het hem!'

'Tja. Zoals de man zei die zelf een blote zeemeermin op zijn linkerarm had. Plus een hart met "Anne-Marieta voor eeuwig".'

Neil slaapt een gat in de dag. Het is laat op de middag voor ze de uitgebaggerde vaargeul van Ljouwertshaven uit zeilen. Als Neil omkijkt, herkent hij het gemeentehuis, de ijzeren sterren van het Stellarium. Aan de spitse torentjes wappe-ren gloednieuwe vlaggen. De sterren zijn tot blinkens toe opgeschuurd.

'Gisbrandt? Als we mamma bevrijden, krijgen we dan niet meteen een half miljoen woedende matrozen achter ons aan? Geen Stella Maris meer, dat merken ze toch direct?'

Neil sluit zijn ogen om het uit te proberen. Prompt rolt de wereldkaart zich voor hem uit. Eén ster fonkelt tussen de eilanden, helder als een diamant in het zonlicht.

Nee, ik overdreef niet. Als deze ster dooft, zal het iedere matroos opvallen.

'De Stella blijft branden, jongmaatje. Ze zal zelfs niet flak-keren.'

Daar moet Neil het mee doen.

Het doolhof om de Hoge Toren is actiever dan ooit. Neer-stortende bomen versperren het kanaal, zandbanken werpen zich voor de boeg van de boot, een potvis stormt met wijdopen muil op hen af.

'Nep,' zegt Neil elke keer. 'Roei rustig door, Gisbrandt.'

Een matroos die zijn Stella zoekt, zal nooit verdwalen.

'Dat scheepswrak?' Gisbrandt geeft een ruk met zijn hoofd. 'Even onecht als een biljet van elf euro. Zoals de oppasser zei toen, eh. Toen de dierenhandelaar hem een pimpelpaarse muis liet zien.' Neil krabt over het anker op zijn rechterarm. Het jeukt maar een beetje en die haaien aan weerszijden staan goed stoer. Hoe zeggen ze dat hier? Zilt. Gisbrandt stuurt recht op het wrak aan. Vlak voor de boeg zich in de ijzeren muur vol roestvegen en zeepokken zal boren, vervaagt het schip.

'We zijn er,' zegt Neil.

Aan de voet van Stella's Toren is het nacht: zwart water, een hemel waarin de eerste sterren doorbreken. De kilometershoge spits gloeit goudoranje op in de laatste zonnestralen. Voor ze de kade bereiken, kleurt het licht bloedrood en dooft.

'Heb je alles bij je?' informeert Gisbrandt als Neil op de kade staat. 'De zijden zakdoeken, je rol touw?'

'Ja hoor.' Neil heft de rugzak met blodlingzaden op, krabt de kleine zuster op zijn schouder onder haar kin. 'Deze dame ook.'

'Dan hoef je hier alleen nog maar een slokje van te nemen.' Gisbrandt krabt de zegellak van een stoffige fles, wrikt de kurk los. 'Een ferme mannenslok graag, jongmaatje. Je hebt een beetje extra energie nodig. Geen normaal mens kan een trap van drie kilometer in één keer beklimmen.'

152

'Waarom staat er eigenlijk een doodskop met botten op het etiket?'

'Als waarschuwing. Een tweede slok overleeft niemand. Van één slok voel je je achteraf hoogstens een weekje hondsberoerd. Je denkt misschien dat je doodgaat, maar dat is niet werkelijk zo.'

Gisbrandt weet je wel enthousiast te maken, denkt Neil. Hij volgt de brede trap met zijn blik. Op minder dan een kwart van de toren krimpt de trap al tot een draadje spinrag. Daar voorbij wordt hij onzichtbaar.

Toen we vorig jaar de Dom beklommen, liep het zweet me al halverwege over de rug. Mijn hart bonkte in mijn keel, zwarte vlekken zwierden voor mijn ogen.

De Dom van Utrecht was honderdzestig meter hoog. Stella's trap heeft twintig keer zoveel treden. Minstens.

'Geef me een slok.'

De trap staat op scherp merkt Neil al bij zijn vijfde stap. Met een geniepige tinkel veranderen de onderste treden in speldenkussens. De naalden schuiven snerpend verder uit: egelstekels, dolkmessen, glinsterende speren.

'Klim, o klim!' De kleine zuster trekt angstig aan Neils oorlelletjes. 'Rap, rap! De toren wil ons opprikken. Ja, aan zijn naalden van diamant! Als dode vlinders, Neil.'

De drank gonst en jodelt in Neils aderen. Hij stuift de trap op alsof zijn zolen de treden amper raken. Alsof hij licht als distelpluis geworden is en een orkaanwind hem omhoogblaast.

De maan dwarrelt de hemel in, rond en botergeel. Neil klimt.

De maan zakt terug en verdwijnt in een laag wolken. Neil

klimt nog steeds, al danst hij niet langer omhoog over de treden.

De eerste zweetdruppels glinsteren op zijn voorhoofd. Onder zijn voeten zwellen blaren op. Nu voelen ze nog als graankorrels; binnenkort zullen ze tot gloeiende druiven opzwellen.

'Weet niet... hoe lang.' Hij hapt naar adem.

'Hoeft ook niet,' zegt de blodling. 'Je hebt mijn grote zuster gevonden.'

'Wat...'

De laatste trede eindigt in een glazen drempel. Stella staat in de deuropening.

'Ik wist dat je op weg was,' zegt Stella veel later als ze elkaar eindelijk los kunnen laten. Als ze allebei geloven dat de ander niet als een sliert mist zal wegwaaien. 'Zodra ik mijn ogen sloot, zag ik een half miljoen kaarsen. Jij brandde het helderst en elke keer dat ik keek, was je dichterbij.'

'Wij komen je redden,' zegt de kleine zuster. Ze trekt het koord van de rugzak open en houdt een handvol blodlingzaden op.

'Gis Brandt kocht kleine zusters voor vijftig jaar.' Ze rolt Stella's vlecht uit. 'Zie je? Ruim genoeg haren ook.'

Stella knielt naast haar neer. 'Leg uit, kleine zuster.'

'Zodra mijn tijd voorbij is, pak ik een nieuw zaadje.' Ze demonstreert het. 'Een druppel bloed, een haar en er groeit een nieuwe Stella.'

'Gis Brandt bedacht het,' zegt de blodling. 'De Stella Maris moet de oudste dochter van de Scheeps Garths zijn. Voor de matrozen maakt het niets uit of het een grote of een kleine dochter is. Onze kaarsen zullen even krachtig stralen.' Haar ogen schitteren als ze naar Stella opkijkt. 'Ben je niet jaloers? Nu word ik de Stella!'

Neils moeder glimlacht. 'Ja, kleine zuster, ik ben vreselijk, onbeschrijflijk jaloers.'

'Dit is het betere uitzicht,' zegt Stella en leunt een halve meter verder over de leuning van de bovenste overloop. 'We zitten verdorie nog hoger dan op Texel.' Ze slaat een been over de balustrade en hurkt op de richel. 'Kom je nog? We springen tegelijk. Zodra ik "Jippie!" roep, trek je hard aan je koord en de rest is een eitje.'

Jippie, denkt Neil. Mijn god, jippie. Nou ja, ik ben blij dat er in ieder geval eentje zin in een doodsmak heeft.

Zodra hij naast Stella op de nauwe richel staat, kijkt hij omlaag. Wat natuurlijk het stomste is wat je kunt doen. De boot is een stofje, het wijde meer een druppel inkt.

Zo ontiegelijk, krijsend diep. Neils maag krampt en borrelt en probeert in zijn keel te kruipen.

'En hopsa!' Stella grijpt zijn pols vast. Een ruk en de balustrade kantelt weg en krimpt. De maan zwiept door de hemel terwijl Neil drie keer over de kop slaat. Hij graait wild om zich heen, trapt met zijn voeten rond, wanhopig op zoek naar steun.

Er is niets meer om vast te grijpen, enkel lege lucht om op te staan.

Neil gilt de eerste honderd meter. Daarna ontdekt hij wat een ongelooflijke kick het is om domweg omlaag te storten. Net als vliegen in een droom, denkt hij, alleen beter.

Stella moet 'Jippie! Verdorie luister dan toch: Jippie!' schreeuwen voor Neil met tegenzin aan zijn parachute-koord trekt.

Heb je misschien een vouwblaadje?

Licht als een distelpluisje neerstrijken, doet een parachute niet. Neil smakt tegen het inktzwarte water en gaat prompt kopje onder.

Hij klauwt om zich heen in een zwerm glitterende bellen, schopt. Waar is boven, waar is zuurstof?

Neil heeft drie zwemdiploma's: hij zou zich nu nog niet drijvend kunnen houden in een kikkerbadje.

Een bleke gestalte glijdt door het maanverlichte water op hem af. Een haai, een witte haai!

Hij gilt het uit van angst.

Neils schreeuw eindigt in een mondvol brak water.

Hij hoest de laatste lucht uit zijn longen en slaat dubbel.

Iets grijpt hem vast bij zijn kraag, sleurt hem omhoog.

'Weggegooid geld, die zwemlessen,' moppert Stella. Ze grijpt Neils polsen vast, haakt zijn vingers om de rand van de kano.

'Waar is de haai?' sputtert Neil. 'De witte haai?'

'Haai?' zegt Stella. 'Ik dook je van de bodem op. Was je liever door een haai gered?'

'Dit zijn beslist de belachelijkste kleren die ik ooit genaaid heb,' klaagt de kleermaker een dag later. Hij drapeert de trui, het T-shirt en de spijkerbroek over het kledingrek. 'Is het soms voor carnaval?'

'Ik hóóp dat het voor carnaval is,' voegt hij eraan toe.

'Waar wij binnenkort heen reizen, kijkt niemand op van dit soort kleren,' zegt Stella. 'Daar kan ik me juist niet vertonen in een jurk van gebleekt zeewier. Of met vergulde inktvissen in mijn haar.'

'Dat moet een allemachtig ver land zijn,' zegt de kleermaker. 'Met lui die niet bijster veel smaak hebben.'

'Klopt. Ze noemen het Nederland.'

'Nooit van gehoord en dat wil ik ook graag zo houden.'

Gisbrandt klapt de deksel van zijn horloge open. 'Betaal die arme man, zus, en verkleed je. Over tien minuten komt de vloed op.'

'Keer, diep getij,' zingt Stella en giet het flesje met Schoklands kraanwater op de stoep van Trichterhaven leeg.

De masten met hun wapperende banieren vervagen. Het meeuwengekrijs gaat naadloos over in getoeter, het grommen van een optrekkende bus.

'Thuis,' zegt Stella. Ze snuift de geur van oude friet en aanbakkend shoarmavlees genietend op. 'Dit was het eenvoudigste stuk.' Ze pakt hun handen vast. 'Het moeilijkste komt nog.'

'Wat bedoel je?' vraagt Neil.

'Richard. Hij gelooft dat ik hem in de steek liet. Jaren geleden.'

Het ding-dong van de bel sterft weg.

Belachelijk om bij je eigen huis aan te moeten bellen, denkt Neil. Terwijl ik de sleutel verdorie op zak heb.

Hij drukt opnieuw op de bel en spitst zijn oren.

Ah, voetstappen.

Richard opent de deur. 'Goedemorgen. Wat kan ik voor jullie betekenen op deze mooie dag?'

'Pa...' Neils stem stokt in zijn keel. Richards blik glipt over Neils gezicht, glijdt over dat van Dagmar. Zonder een spoor, een sprankje van herkenning.

We zijn vreemden voor hem! Hij is vergeten dat hij ooit kinderen gehad heeft...

'Jullie zijn toch geen Jehova's getuigen of zo?'

'Je mag je ziel houden,' zegt Stella. 'Ik hoop dat je even de tijd hebt? Want dit kon wel eens een lang verhaal worden. Zoals de echo tegen de stotteraar zei.'

Richard schiet in de lach. 'Ik ben dol op lange verhalen. Tijd genoeg. Dit is mijn vrije dag.'

'Het klinkt misschien een beetje vreemd, maar ik ben je vrouw,' zegt Stella. 'En deze twee, Neil en Dagmar, zijn je kinderen.'

'Een beetje vreemd klinkt het wel,' zegt Richard. 'Maar waarom komen jullie niet even binnen?'

Neil loopt achter zijn vader en moeder het huis in.

Misschien, heel misschien is er nog hoop. De manier waarop Richard naar Stella keek...

Hij vindt haar beslist aardig. Anders had hij ons toch nooit binnengelaten? Bovendien, de vorige keer werd hij ook halsoverkop verliefd op Stella.

'Heb je misschien een vouwblaadje voor me?' zegt Stella.

Ook verschenen in *Dossier gesloten*:

Richard A.A. Richmore

Portret van een moordenaar

ISBN 90 261 1932 1

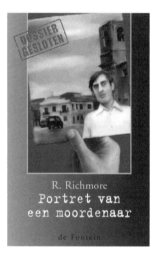

De dood van de bekende illustrator Edward Benny
stelt de politie voor een raadsel. Benny wordt dood
aangetroffen met een foto van zichzelf in de hand.
Het lijkt erop dat Benny is overleden aan een hart-
stilstand, veroorzaakt door grote schrik. De foto is
genomen in Sicilië. Zijn ex-vrouw weet echter zeker
dat Benny nooit in Italië is geweest. Dat maakt de
zaak heel erg vreemd.